## Aux couples amoureux

Ce livre n'est pas tout à fait fini:
c'est à vous de le compléter.
Ce que vous y écrirez
est plus important que ce que j'ai écrit.

Prenez le temps, accordez-vous le plaisir,
de revivre vos moments privilégiés.

En parcourant les pages, répondez aux questions,
discutez-les ensemble.
Le but de ce livre est de vous
rapprocher l'un de l'autre,
pour vivre à plein votre mariage.

Bon succès dans votre travail d'écrivains
et de lecteurs!

Chuck Gallagher

UN AMOUR DE COUPLE
est la traduction du livre LOVE IS A COUPLE,
publié originalement aux États-Unis.

Traduction :
Christiane Croteau, Jean-Charles Laframboise,
Jacques Cloutier, Gilles Comeau, sous la
responsabilité de l'Université Saint-Paul, Ottawa.

Collaboration :
Marriage Encounter/Renouement conjugal
Services à la communauté
C.P. 460, Gatineau, Qué.   J8P 7A1

Maquette de couverture :
Yon Van Berkom

Photographies :
Yves Périgny : page couverture
            et p. 8, 19, 25, 35, 67, 78, 88, 101, 125
Lois & Bob Blewett : p. 5, 7, 15, 29, 41, 44, 59, 63, 70, 106,
            110, 136, 144, et au dos de la couverture.
V. Charbonneau : p. 47, 109
John Reeves, ONF : p. 113
Gilles Lafrance : p. 134

Edition :
NOVALIS, C.P. 498, Succursale A, Ottawa
Canada   K1N 8Y5

Dépôt légal :
4ᵉ trimestre 1977
Bibliothèque nationale du Canada
Bibliothèque nationale du Québec

ISBN : 0-88587-017-4

NOVALIS

# un amour de couple

## CHUCK GALLAGHER, S.J.

RENOUEMENT
CONJUGAL

MARRIAGE
ENCOUNTER

NOVALIS

Notre amour est tellement spécial...
Nous n'avons jamais fini
de nous découvrir l'un l'autre.

Nous en avons fait
du chemin, ensemble...

depuis notre
première
découverte
l'un de l'autre

jusqu'à la construction,
de notre propre maison!

Un Marriage Encounter
dans notre vie de couple,
c'est un nouveau départ
de notre amour.

# l'écoute

Je t'écoute
pour toi et pour nous deux

**Quelle différence
y a-t-il
entre entendre et
écouter?**

*Votre réponse:*

À peu près à toutes les deux semaines, Margot demande à Luc de l'amener souper en ville. Et il accepte presque toujours. Il croit qu'elle souhaite se reposer des enfants, s'offrir un repas sans la corvée de la vaisselle, se libérer de la maison qui l'attache jour après jour.

Un soir il est revenu à la maison particulièrement tendu et fatigué. La journée avait été difficile au bureau, mais il était surtout ennuyé d'avoir promis à Margot de l'amener souper en ville, ce soir-là. « Écoute, Margot, lui dit-il, je suis à bout, ce soir, et je n'ai pas le goût de sortir. Je vais m'occuper des enfants. Appelle une amie et sortez plutôt ensemble. »

Elle dit simplement « OK » et se dirigea vers le téléphone. Alors Luc comprit que tout n'était pas vraiment OK. Il y avait du désappointement dans la voix de sa femme et cela lui alla droit au cœur.

Il se pencha et lui enleva le téléphone des mains: « Margot, qu'est-ce qui se passe?

— Rien.

— Oh, il y a quelque chose qui ne va pas. Nous allons en parler, veux-tu? Je veux réellement savoir.

— Luc, je ne veux pas sortir avec une amie. Toute la journée, je pensais à cette sortie avec toi.

— Ah oui. Je sais que tu as eu les enfants sur le dos, toute la journée. Et puis Paul et Chantal ont été malades toute la semaine. Je comprends que c'est dur d'être enfermée dans la maison. Tu as besoin de sortir. Mais pourquoi ne pas y aller avec Marie ou Carmen et vous donner du bon temps?

— Non, ce n'est pas ça. C'est vrai que j'aimerais sortir; c'est intéressant de s'habiller, d'aller à un restaurant chic, de se faire servir, et de prendre tout son temps pour dîner. Mais le meilleur dans tout cela, c'est que je sors *avec toi*. Nous passons si peu de temps ensemble. Je veux simplement être avec toi, parler un peu, te regarder et trouver joie en ta compagnie.

— Comme j'étais bête! s'exclama Luc. Pendant tant d'années j'ai cru que c'était le repas qui te plaisait, quand nous sortions en ville. Et c'était moi... Ça, c'est chic. Allons-y Margot. Je vais être tout entier à toi. »

Quand Luc s'est mis à vraiment *écouter,* il a perçu les sentiments de Margot et leur relation commença à grandir.

Entendre est une expérience sensorielle qui permet au son physique d'entrer en moi. Quand j'entends des mots, je reçois un message qui m'est envoyé. Je perçois aussi les conséquences et les implications concrètes de ce qui m'est dit.

Il arrive cependant que les sons m'atteignent mais que je ne reçois pas réellement le message.

En classe ou en affaires il suffit de recueillir les informations et les faits. Mais dans une relation interpersonnelle entendre est seulement le premier pas: il faut vraiment *écouter*. Et cela demande bien davantage. Il faut que je sois attentif *à toi,* non seulement à ce que tu dis mais à ce que tu es et, tout spécialement, à ce que nous sommes l'un pour l'autre.

Quand j'écoute, ce n'est pas assez de pouvoir répéter tes paroles, je dois savoir ce que cela veut dire pour toi, en quoi cela t'affecte, et combien ce que tu me dis est important pour toi.

Quand j'entends, je recueille des informations. Quand j'écoute, je me relie à des personnes. Je me relie à toi, pas seulement à ce que tu me dis. Quand je t'écoute, *je prends soin de toi.* Je veux t'être présent. Entendre, c'est recueillir de l'information; écouter, c'est m'ajuster à l'autre personne.

En t'écoutant, je te permets d'avoir de l'influence sur moi, de parvenir jusqu'à moi, de me toucher et de me changer. Pas seulement de recueillir des informations objectives. Quand j'écoute vraiment, je ne suis jamais objectif, je suis toujours de ton côté, je suis pour toi. Et j'essaie de te rejoindre, d'expérimenter ce toi qui est présent dans les mots que tu me communiques.

Aussi pour qu'il y ait écoute, faut-il que je m'engage personnellement. Je ne peux pas me situer comme en dehors, observant ce qui se passe entre nous. Je dois en prendre conscience, te répondre vraiment, avoir le souci d'établir avec toi un contact. Je ne m'attends pas à ce que le message lui-même me mette en mouvement ou soit vital pour moi. C'est toi qui es vital pour moi. Tu es important pour moi et je me mets en mouvement vers toi.

Je ne peux pas t'écouter sans que tout mon être en soit impliqué. Je ne peux pas t'écouter d'une oreille distraite. Bien sûr quand j'entends quelqu'un, je peux filtrer ce qui n'est pas important ou directement relié au sujet. Mais quand je t'écoute, je ne peux laisser tomber quoi que ce soit: rien n'est secondaire, distrayant, négligeable, dans ce qui te concerne.

Quand j'entends, c'est pour mon profit, pour l'avantage que j'en peux tirer. C'est que le sujet est intéressant, ou bien que l'interlocuteur à mon avis mérite qu'on l'entende.

Tout cela peut motiver mon attention. Mais quand j'écoute, c'est pour l'avantage de l'autre. C'est parce que tu en tires profit, parce que mon écoute te fait du bien. Entendre est pour moi, pour mon profit intérieur; écouter est pour toi, pour ton profit intérieur à toi. Entendre est tourné vers ce qui se passe en moi; écouter, vers ce qui se passe en toi, vers les effets produits chez toi.

Liliane et Bernard étaient assis au bord du lit, un soir, savourant la tranquillité du moment. Il se tourna vers elle, la regarda, et lui dit tout simplement : « Tu sais, Lili, tu es vraiment belle. » Elle ne laissa pas le compliment glisser sur elle, car elle sentait qu'il le disait pour vrai. Et ce sentiment lui coupait le souffle. Ils ne dirent pas un mot. Puis les yeux de Bernard se remplirent et les larmes coulaient sur ses joues. Il dit alors combien de fois il avait formulé cette petite phrase, mais que jamais il n'avait été capable de faire parvenir le message. Il voyait avec soulagement que Liliane avait finalement *écouté* et son cœur était plein de joie. Ce fut un moment précieux pour tous les deux.

**À votre avis êtes-vous quelqu'un qui sait bien écouter?**

*Votre réponse :*

Je puis croire que je n'ai pas un bon quotient d'écoute, parce qu'on m'a déjà dit que je parle presque tout le temps ou que je ne prête pas attention à ce qu'on dit. Ou bien je vois que je suis souvent distrait quand les autres parlent. Ou bien je vois que je ne puis pas résumer ce qu'ils ont dit. Ce sont là des indications que ma capacité d'écoute n'a pas été développée à son meilleur.

La plupart d'entre nous, cependant, jugent leur quotient d'écoute plutôt élevé. Nous n'écoutons peut-être pas bien tout le temps, mais nous savons le faire quand c'est important. De plus nous ne parlons pas beaucoup. Et plusieurs croient qu'une personne silencieuse est nécessairement un bon écouteur. Et pourtant, Jacques le taciturne et Sylvie la muette peuvent être aussi distants et peu intéressés qu'une autre personne à grande bouche. Peut-être disent-ils peu de chose, en effet, mais en dedans ils ripostent à leur interlocuteur ou formulent leurs propres jugements. Ou bien ils perçoivent seulement la surface de ce qui est dit, seulement les mots, et ils en tirent un certain plaisir. Plusieurs personnes, de fait, se font la réputation de bien écouter, alors qu'elles ont, tout au plus, la patience d'entendre les gens parler.

Bien sûr la personne silencieuse peut être en sommeil : ses yeux sont grands ouverts et elle sourit, mais à l'intérieur elle flotte en un autre monde, comme dans l'espace. En fait il n'y a pas d'écoute du tout, elle est totalement absorbée en ses propres pensées. Elle conduit probablement une conversation avec elle-même, sans du tout s'impliquer avec son interlocuteur.

Croyez-vous être un bon écouteur quand la situation le demande? Et alors, peut-être êtes-vous davantage concerné par le sujet traité que par la personne elle-même? Nous écoutons une *personne,* nous n'écoutons pas un *sujet de conversation,* même si nous l'entendons. Peut-être rencontrons-nous un expert en un certain domaine et avons-nous besoin d'informations et d'avis sur le sujet. Ou bien nous sommes désespérés et ne savons pas quelle direction prendre, et nous ne prêtons attention à personne. Mais dans toutes ces situations nous sommes à la recherche de solutions à nos problèmes : nous n'écoutons pas réellement l'autre personne.

La mesure réelle qui me permet d'apprécier si je suis un bon écouteur pour toi, c'est la qualité de compréhension, d'empathie, que tu perçois quand tu es avec moi. Il y a des cas, bien sûr, où tu veux seulement te vider le cœur, et alors tu te sens bien après coup, que je t'aie écouté ou non.

Quand quelqu'un est vraiment à l'envers, je dois lui donner de l'attention pour qu'il se sente mieux. Si c'est à cause de moi qu'il va mal, je dois lui donner de l'attention pour arrêter le flot de ses reproches. Dans le premier cas, mon geste est beau et bon en lui-même; dans le second, c'est une réponse à une situation donnée. De toute façon, il ne s'agit pas ici d'une écoute au plein sens du terme, puisque je ne réponds pas vraiment à la personne. Face à quelqu'un qui ne fait que l'entendre, une personne ne part pas satisfaite. Mais avec un bon écouteur, cette personne ne repart même pas: en un sens, elle reste toujours présente à son interlocuteur.

**Vous arrive-t-il d'écouter avec vos yeux?**

*Votre réponse:*

Nous restreignons habituellement à l'oreille la fonction d'écouter. Si j'entends bien les mots, si je comprends ce que l'autre me dit, si je ne laisse pas les préjugés déformer son message, j'ai le sentiment d'être un bon écouteur. Mais écouter est une action qui m'engage tout entier. J'essaie de découvrir l'autre personne, et je ne puis y parvenir avec un seul de mes sens. Je dois écouter l'autre avec tout moi-même.

Un époux ou une épouse communique beaucoup avec son conjoint par le langage corporel. Il peut sentir que l'autre est tendu, nerveux et troublé, seulement par sa façon de se tenir ou de bouger, ou par l'apparence de son visage.

Parfois le ton de la voix paraît badin et léger, mais le corps révèle un autre état d'âme. Peut-être la femme tourne-t-elle en rond nerveusement, ou bien ses épaules sont-elles courbées, ce qui révèle à son mari combien elle est découragée. Il est possible enfin que ses manières affectées,

perceptibles seulement pour lui, indiquent qu'un feu brûle
à l'intérieur.

Assez fréquemment, surtout dans une relation époux-
épouse, les mots prononcés ne sont pas importants du tout.
Il faut regarder le visage pour percer l'écorce du langage.
La posture du corps révèle une soif d'attention, une
solitude douloureuse ou un besoin de présence. Ou bien un
éclair dans le regard annonce une poussée de joie à partager.

*On se dit tant de choses par un simple regard.*

Pierre et Francine semblent s'échauffer très vite dès qu'il s'agit d'argent. Un jour, alors qu'ils faisaient des plans de vacances, Francine suggéra un projet très coûteux. Et ils n'avaient pas assez d'argent pour se le payer. Francine ne parvenait pas à comprendre pourquoi Pierre était tellement réticent quand il s'agissait de dépenser de l'argent. C'est alors qu'elle remarqua l'expression de peur dans les yeux de Pierre. Elle cessa de discuter et se mit à l'écouter pour vrai. Elle découvrit que son mari avait une peur extrême de la laisser sans ressources dans la vie, c'est pourquoi il voulait amasser de l'argent pour les mauvais jours. Elle avait écouté ses arguments, mais elle ne l'avait pas écouté, lui.

En découvrant sa peur, elle changea toute sa vision de l'argent: bien sûr elle ne cessa pas d'en dépenser, ni de désirer de belles vacances, mais elle pouvait maintenant aller plus loin que la question en cause et percevoir l'intérieur de Pierre.

En somme, je ne me sentirai pas écouté par toi, peu importe ton attention auditive, si tu ne fais pas attention à moi, si tu ne me regarde pas. Je ne peux pas savoir que tu m'écoutes réellement si tes yeux regardent partout, ou ne se fixent sur moi que de temps en temps.

Et ce n'est pas assez que tu jettes sur moi un seul regard attentif, comme pour me fixer en ton esprit. Le message que je te communique par le langage du corps change et se modifie constamment; si tu m'écoutes réellement tes yeux doivent toujours se porter sur moi.

Nous ne regardons pas notre interlocuteur justement parce que nous savons, comme d'instinct, que cela nous impliquera davantage avec lui. C'est pourquoi nous gardons nos yeux occupés ailleurs. Si nous écoutions avec nos yeux, nous serions comme noyés dans l'autre personne. Nous en saurions trop. Ce n'est pas consciemment que nous prenons cette décision de détourner les yeux, c'est un fruit de notre éducation. Et souvent nous n'avons pas le désir de prendre tant de souci de l'autre, ou avec une telle intensité. Nous avons nos propres problèmes et soucis.

Dans les anciens serments de mariage on disait: «Je t'épouse avec tous mes biens terrestres.» On pourrait dire de même: « Je t'épouse avec tous mes sens. » Nous faisons cadeau à l'autre de chacun de nos sens. La plupart du temps nous donnons seulement la moitié de notre attention à entendre l'autre, et encore moins à l'écouter véritablement.

## Êtes-vous capable d'écouter avec vos mains?

*Votre réponse:*

Pour découvrir son conjoint, il ne suffit de l'écouter avec ses oreilles, ou même avec ses oreilles et ses yeux. Il faut aussi l'écouter avec ses mains.

Comme prêtre j'assiste à de nombreuses funérailles et j'essaie alors d'offrir un peu de consolation à l'époux ou à l'épouse dans le deuil. Avant de quitter le salon funéraire j'ai l'habitude d'aller vers la veuve et de lui demander comment ça va, elle-même et ses proches. J'essaie honnêtement d'écouter ce qu'elle me dit, en notant même les signes révélateurs: la lèvre inférieure qui tremble, les larmes au bord des yeux.

Mais j'ai appris qu'écouter demande encore davantage. Parfois je mets le bras autour de sa taille et j'écoute les muscles de son dos. Alors qu'elle me dit: « Ça va bien », « Tout est correct », la raideur de son dos et la moiteur de sa blouse révèlent ce qui se passe réellement à l'intérieur.

On peut découvrir tant de choses sur l'intérieur de quelqu'un en le touchant. (Souvent, dans des entrevues de counselling, je choisis à dessein de rester séparé de l'autre personne, pour être objectif et analyser ce qui se passe entre nous, ou pour découvrir ce qui se vit en moi ou en l'autre dans une situation d'éloignement. Cela permet aussi de mieux communiquer ma position ou une décision à prendre.)

Le toucher crée une intimité. Cela peut paraître banal mais quand je te touche ou me laisse toucher par toi, c'est un engagement entre nous deux. Nous touchons relativement peu de personnes, du moins pas de façon prolongée. La plupart des touchers sont des rituels: on se serre la main, on se donne un baiser ou une accolade. Malheureusement, le toucher peut devenir très ritualiste même dans le mariage, quand on le pratique seulement à certaines occasions ou pour certains buts. Et pourtant une des plus importantes raisons de se toucher est justement pour mieux s'écouter l'un l'autre!

Une des façons de nous distraire est d'occuper nos mains pendant que l'autre parle: mettre en ordre la pièce, feuilleter un journal, regarder l'heure. Même s'il s'agit d'un geste purement machinal, il draine une partie de mon attention. Mais si je te touche gentiment, en tenant ta main ou bien en la posant sur ton épaule, ou en touchant ta joue, je te dis que je suis là, de la façon la plus tangible qui soit. Plus encore, si je te touche, cela m'aide à garder les yeux sur toi. Je continue à m'occuper de toi.

Autre avantage du toucher, il t'aide à te révéler à toi-même. Rien de mieux qu'un toucher gentil pour t'inspirer confiance, te sentir désiré vraiment. En un tel contexte, tu peux t'ouvrir en profondeur et cela te révèle davantage à toi-même. Cela enlève une part de ta peur d'être rejeté.

Plus encore, quand je te touche, tu me communiques beaucoup sur toi, en me faisant vivre une expérience plus profonde et plus signifiante que par les paroles ou le regard. Ce léger tremblement sous mes doigts, ces muscles tendus, cette mâchoire serrée, ces mains froides, ces froncements sur ton front, tout cela me révèle ce qui se passe en toi.

Mes mains sur toi te font sentir que je suis proche de toi. Et n'est-ce pas ce que, finalement, l'écoute doit produire? On peut se dire tant de choses par le toucher, et tant d'autres qui n'ont pas besoin d'être dites. On peut expérimenter, par le toucher, une communication interpersonnelle en profondeur.

*Ta main sur moi m'aide à me confier.*

**Laissez-vous
l'autre
se révéler lui-même?**

*Votre réponse:*

« Ils sont fous, ces humains! » dirait Astérix. De fait, nous cherchons constamment à établir une relation profonde avec notre mari ou notre femme, et pourtant nous constatons, par beaucoup d'indices, que cela nous effraie et nous tentons de l'éviter. Nous disons en paroles que, plus que tout, nous souhaitons être vraiment proches, vraiment attentifs l'un à l'autre, mais nos actions démentent nos paroles: nous dressons de nombreuses barrières à notre communication.

Une des plus hautes barrières à la communication consiste à nous couper la parole: nous interrompons l'autre parce que nous pensons honnêtement savoir ce qu'il va dire, et nous n'avons pas la patience de l'écouter nous le dire à sa manière. Nous le court-circuitons... pour son bien! Nous voulons lui montrer que «nous le comprenons». Nous lui sautons dessus au milieu de son exposé: «Tu vois comme je te comprends!»

Ou bien nous interrompons notre conjoint parce que cette conversation ne nous intéresse pas vraiment. Nous ne voulons pas en parler toute la nuit et nous orientons la conversation sur un autre sujet, en douceur ou avec fracas.

Autre motif d'interruption: j'ai quelque chose dans l'esprit ou sur le cœur, je veux en parler tout de suite et je veux que l'autre écoute. Je ne veux pas écouter cette fois. C'est pourquoi je me mets à parler de mon problème. Je peux m'excuser en disant: « C'est toujours moi qui écoute; ce soir, je veux parler. » Ou encore j'ai le sentiment que l'autre personne est meilleure pour écouter et que nous progressons plus vite quand c'est moi qui parle.

On peut couper la parole en étant trop gentil. Jeannette veut qu'on l'écoute, elle a besoin de se sentir comprise. Mais dès que Charles entend ce qu'elle dit, il propose une solution. Il promet de changer, de faire quelque chose pour lui plaire, ou de mettre fin à ce qui agace sa femme. Et pourtant ce n'est pas de cela que parle Jeannette: elle veut seulement contacter Charles, pénétrer en lui. Mais lui ne veut pas se laisser pénétrer, il ne veut pas écouter qui elle est. Il n'a saisi que ses plaintes ou ses désirs et il lui dit: « Je ferai tout ce que tu veux. » Il semble très accommodant en apparence, en réalité il la rebute.

Souvent nous coupons la parole par du non-verbal plutôt qu'en introduisant un nouveau sujet de conversation. Nos yeux se fixent ailleurs, nos mains s'affairent à quelque besogne domestique ou nous feuilletons un journal. Ou bien nous restons debout à écouter patiemment, mais de toute évidence nous attendons que l'autre s'en aille pour continuer ce qui nous intéresse davantage.

Ce non-verbal peut être accompli très gentiment: par exemple en faisant quelque chose pour l'autre, ce qui en fait nous distrait de lui.

Je puis interrompre aussi quelqu'un en lui manifestant un lot d'affection. Je lui donne une bonne étreinte, un baiser ou une petite tape amicale dans le dos. Je veux t'exprimer que je t'adore, mais pour toi c'est un geste de pitié ou un désir de te remonter le moral, et tu le ressens à ce moment comme un manque de souci réel pour toi.

On peut empêcher un dialogue par du non-verbal

machinal, comme tapoter avec un crayon ou tourner son anneau. Le corps indique ainsi une baisse de l'attention à ce qui est dit; on attend simplement que ça finisse. Sans dire un seul mot, je puis au contraire communiquer des pages et des pages à mon conjoint. C'est à chacun de libérer son chemin et d'écouter l'autre pour vrai, cet autre qui compte plus que tout au monde.

**Écoutez-vous en mijotant votre réponse?**

*Votre réponse:*

Nous ressentons parfois une telle pression intérieure, une telle envie de parler, que nous avons du mal à attendre que l'autre finisse sa phrase. Nous sautons dans la conversation dès qu'il reprend son souffle.

Un mari et sa femme se sont parlé de bien des choses, souvent longuement et en profondeur. Maintenant, dès la première phrase du conjoint, l'autre croit savoir le long et le large de ce qui sera dit. Ou bien cela lui rappelle quelque chose qu'il a oublié de dire à la dernière conversation sur le sujet. Et il n'écoute pas ce qui se dit. Il attend seulement la chance de placer son mot.

Bien sûr, ce n'est pas par malice, nous n'avons aucune mauvaise intention. Mais nous sommes tellement possédés par ce qui se passe en nous, que nous sommes étrangers à ce qui se dit. Cela nous arrive tant et plus, si bien qu'il nous faut une véritable discipline personnelle pour nous « mettre de côté » et nous concentrer sur l'autre personne et sur ce qu'elle dit.

Dès que l'autre commence à parler, cela déclenche en moi des questions, des réponses; je veux résoudre son problème, lui donner des conseils ou des informations.

Souvent j'apporte une information et mon conjoint me rétorque: « C'est justement ce que je disais tantôt… » Et je me retrouve le rouge au visage et une vague excuse aux lèvres.

Notre difficulté vient surtout de notre besoin de trouver réponse à tout. En réalité une relation interpersonnelle n'est pas centrée sur les solutions et les réponses: son but final est de nous comprendre l'un l'autre, de nous rapprocher, de nous faire éprouver qui nous sommes. Pour atteindre cet idéal, il faut nous ouvrir l'un à l'autre, nous révéler… et nous écouter. Pour communiquer nous n'avons pas besoin de donner des réponses à notre conjoint. Il suffit d'être conscient de sa présence, de le goûter et de lui toucher. Dans notre société, nous avons été habitués à tout analyser; nous cherchons toujours à améliorer notre performance. Nous voulons offrir un nouveau remède, une amélioration, un conseil quelconque, pour le bien de l'autre. Mais dans la communication entre mari et femme, le plus important n'est pas d'améliorer la situation, c'est de nous comprendre!

**Vous laissez-vous distraire tandis que vous écoutez?**   *Votre réponse:*

Si je trébuche, un bon matin, en sortant de la maison, c'est un simple accident. Si je trébuche encore le lendemain, c'est peut-être encore un accident. Mais si je le fais une troisième fois, je ferais bien de me demander pourquoi. C'est peut-être une marche qui bouge, ou un clou qui dépasse. Ou bien c'est mon soulier qui est en mauvais état.

Si je découvre que je suis souvent distrait pendant que tu parles, ce n'est pas pur hasard. Je ne peux pas dire: « Je ne porte pas attention parce que je suis distrait », mais plutôt « *Je choisis de ne pas te porter attention; je ne veux pas* te donner mon attention ».

Souvent nous ne voyons pas à quel point notre communication demande de l'entraînement et de la discipline. Une bonne relation matrimoniale n'arrive pas par hasard : un des secrets, c'est de se décider à écouter son conjoint. Et il n'y a pas d'autre moyen que de choisir délibérément de l'écouter. Trop souvent nous laissons cette écoute aller à la dérive au gré des circonstances. Nous commencerons à nous écouter quand nous serons entraînés l'un vers l'autre, comme par magie. C'est comme si on se disait : « S'il m'arrive de voir la marche, je ne me barrerai plus les pieds. » C'est important de voir la marche brisée, pour ne pas piquer du nez. Ce serait folie de ne pas en tenir compte.

Trop souvent nous piquons du nez, dans nos efforts de communication, parce que nous ne portons pas attention l'un à l'autre. Nous nous excusons en disant que nous sommes distraits, que nous ne sommes pas attentifs. Mais justement *nous décidons* de ne pas être attentif parce que nous n'avons pas réellement décidé de l'être ! C'est à nous de prendre cette décision.

Après de nombreuses années de mariage, un homme et une femme connaissent très bien leurs distractions : elle est toujours en train de nettoyer la maison, de laver la vaisselle ou de réparer quelque chose pour les enfants. Il est toujours à regarder la télévision, à lire son journal ou à aider les enfants dans leurs devoirs. Ou bien on s'affaire au paiement des factures, on écoute le plus petit bruit en provenance de la chambre des enfants, ou bien simplement on se tourne pour dormir. Quoi qu'il en soit, c'est l'expérience qui révèle aux conjoints ce qui les distrait l'un de l'autre. Nous pouvons nous dire que nous ne sommes pas fameux pour écouter. Personne ne l'est. C'est à chacun de choisir d'écouter et de se donner cette discipline. Ce n'est pas facile et cela n'arrive pas par hasard. Les distractions nous arrivent à la douzaine, une affaire puis l'autre. Mais les distractions ne sont pas le vrai problème : elles sont seulement les moyens que nous prenons pour éviter un tête-à-tête entre nous.

Nous cultivons les distractions parce que nous n'avons pas délibérément choisi de vivre entre nous une relation profonde. Nous avons peut-être peur d'être trop proches, peur de faire remonter des blessures du passé; ou bien nous sommes tellement pris par nos affaires ou les enfants que nous craignons que notre relation ne soit pas aussi attrayante que nous l'avions rêvé autrefois. La vraie raison, en somme, c'est que nous n'avons pas décidé de vivre ensemble une relation profonde et signifiante. Tant que nous ne serons plus engagés l'un vers l'autre, apprenant à être attentif l'un à l'autre, notre vie sera rongée d'insatisfaction et de solitude toujours ressentie. Il nous arrive d'écouter, par intermittence, au gré de l'esprit en nous. Un couple peut en arriver à dominer ses distractions et alors la relation conjugale prend de nouvelles dimensions.

**Croyez-vous savoir d'avance ce que l'autre personne va dire?**

*Votre réponse:*

Après quelques années de mariage, maris et femmes connaissent bien leurs histoires. Ils savent ce que l'autre va dire avant même qu'il ouvre la bouche. Quand il arrive quelque chose, le conjoint connaît quelle sera la réaction de l'autre. Et quand ils se parlent, ils tombent dans le piège de croire qu'ils n'ont pas réellement besoin de s'écouter: ils ont déjà parcouru ce chemin; ils connaissent exactement la position de l'autre sur le sujet.

Quand leur femme commence à parler, dans une soirée, combien de maris prennent un air qui dit à la ronde: « C'est une chanson que j'ai déjà entendue! » Et quand leur mari ouvre la bouche, combien de femmes laissent entendre clairement: « Ah... Pas encore! Nous avons déjà entendu tout ça! »

Ce n'est pas tout à fait ça...
Laisse-moi finir ma pensée.

Quand cela arrive, nous ne sommes peut-être pas choqués, mais simplement patients et tolérants. Cela ne nous emballe pas. Nous nous attendions à cela et nous tournons notre esprit ailleurs. C'est une situation typique de la relation époux-épouse.

Voici une idée étonnante: une des raisons pour répéter la même chose toujours et sans fin est peut-être justement parce qu'on ne s'est pas senti écouté la première fois. Bien sûr, l'autre personne connaît bien la situation; elle l'a apprise par cœur. Et c'est peut-être vrai que la situation n'a pas changé depuis des années. Mais on n'écoute pas *une situation,* on écoute *une personne!* Et la personne est toujours vivante, toujours nouvelle.

Nous croyons souvent connaître la fin de sa phrase, mais nous serions surpris si nous laissions l'autre personne finir sa pensée. Ce serait peut-être différent de ce que nous attendions. Et pourtant, parce que nous avons tant de fois fini ses phrases, l'autre a cessé d'essayer de nous dire le fond de sa pensée. Il se dit: « Je veux lui dire *blanc* mais il pense que je vais dire *noir.* C'est O.K., laissons tomber! » Ou bien l'épouse se dit à elle-même: « Je sais que chaque fois que je parle d'argent, mon mari est certain que je vais en demander davantage. Pour le moment je veux seulement lui dire que je comprends la pression qui est mise sur lui, et je veux partager un peu la pression qui est mise sur moi. Je n'ai pas besoin de plus d'argent, mais comme il est convaincu que oui, cela ne sert à rien d'essayer d'aborder le sujet. Il n'écoutera pas, parce qu'il est si sûr de ce qui s'en vient. »

Beaucoup d'époux et d'épouses finissent par n'avoir plus rien à se dire parce qu'ils ont conscience de s'être tout dit. Quand ils se parlent, chacun joue le rôle de l'autre personne qui parle, en même temps que son rôle propre.

Nous nous disons en nous-mêmes: je ne fais pas cela. Peut-être pas d'une façon aussi raide et directe que d'autres, mais nous le faisons aussi. Jetons un second regard sur notre compagnon ou notre compagne de vie, et laissons-le nous dire ce qu'il veut réellement nous dire, et le dire jusqu'au bout. Beaucoup de choses l'ont affecté depuis toutes ces années que nous sommes mariés. Peut-être a-t-il beaucoup changé, ces derniers mois. Tant de choses peuvent rendre notre relation plus vivante, si nous savons écouter.

**Êtes-vous fermé à certains sujets de conversation?**

*Votre réponse:*

Tout le monde a des sujets de conversation dans lesquels il n'aime guère s'engager. Nous avons peut-être déjà abordé ce sujet et cela n'a mené à rien. Ou bien certains propos ont fait naître des problèmes entre nous, ou enfin l'un de nous est troublé quand nous abordons des points précis. Ce peut-être la mère, un frère, l'argent, le sexe, la religion, etc. Chaque couple a un grenier mental d'où certains objets ne sont mis à jour que par nécessité, traités le plus brièvement possible, puis remisés à nouveau.

Tout cela nous a peut-être échappé. Nous pourrions nous demander quels sont les sujets que nous ne discutons guère entre nous. Bien sûr nous ne parlons pas tout le temps de la Chine rouge, du Fonds monétaire ou des multinationales. Mais quels sont les sujets de conversation courants, normaux entre un mari et sa femme, que nous abordons rarement entre nous ou du moins ne discutons jamais en profondeur? Cette absence indique un sujet à aborder entre nous! Il y a peut-être là une barrière qui nous empêche de nous ouvrir l'un à l'autre et de pénétrer à fond ces thèmes.

Nous nous croyons parfois très ouverts sur certains sujets, la sexualité, par exemple. En fait nous ne l'abordons pas en profondeur. Nous parlons de ce que d'autres font, nous référons à tel article de revue, ou nous discutons de l'éducation sexuelle de nos enfants. Mais nous ne l'avons pas abordé sous l'angle de notre relation interpersonnelle, de nos sentiments face à la sexualité, de sa signification pour nous, de nos désirs à ce sujet, des points faibles que nous constatons.

L'un ou l'autre a peut-être songé à le faire, mais il craint que son conjoint ne perçoive cette démarche comme une attaque personnelle. Le mari a pu régler l'affaire, pour le moment, en se disant que les bonnes filles n'aiment pas le sexe tant que ça. Et c'est justement pour cela qu'il l'a mariée, parce qu'elle était une bonne fille. Il ne se sent pas la liberté de parler avec elle de cet aspect de leur vie. Ou bien il se voit lui-même comme un bon à rien et il évite de parler de leur vie sexuelle parce qu'alors son échec sera ouvertement révélé, et cela ne le tente guère.

Roland et Judith ont de bonnes relations interpersonnelles et ils se parlent de presque tout. Mais ils ne se parlent presque jamais de leur sexualité. Judith se rendit compte, après quelque temps, que chaque fois que ce sujet venait sur le tapis, elle ne se sentait pas à l'aise et détournait rapidement la conversation. Puis elle prit conscience que l'aspect sexuel était important dans leur vie et que cela n'avait aucun sens de ne pas s'en parler. Ce n'est pas qu'ils aient tellement de problèmes, mais seulement ceci : plus elle comprendrait Roland, se disait-elle, et puis il la comprendrait, mieux cela irait entre eux. Un soir elle s'assit avec lui et lui dit : « Nous sommes mariés depuis assez longtemps, Roland, que nous pourrions peut-être nous parler un peu de notre vie sexuelle ? » Et elle lui dit alors comment elle prenait conscience d'avoir écarté ce sujet de conversation, comment elle voulait mieux comprendre son mari en abordant ouvertement ce sujet. À cause de son amour pour lui, elle souhaitait qu'il n'y ait pas de distance entre eux.

Ils se retrouvèrent bientôt en train de se taquiner comme des enfants d'école. À cause du geste invitant de Judith, Roland put confier certaines de ses interrogations : était-il encore attrayant pour elle ? la vie sexuelle était-elle importante pour elle ? Cela surprit un peu Judith ; elle croyait qu'il était bien au courant de tout cela et que le sexe n'était pas un problème pour lui, mais seulement pour elle. Ils n'essayèrent pas de régler des problèmes ou de changer des situations. Le seul fait de se sentir plus éveillés l'un à l'autre était toute une différence. Ils ressentaient en eux une chaleur l'un pour l'autre et c'était comme un nouveau monde qui s'ouvrait à eux.

Il est probable que tous les couples parlent d'argent, mais le plus souvent c'est en termes de budget à balancer, de factures, pressions financières, taxes et impôts, ou pour souligner l'inflation galopante. Ils peuvent aussi échanger sur leurs comptes de banque et leurs investissements. Mais ils ne parlent guère de la façon qu'il les affecte, *eux*: quelle est leur attitude face à l'argent, comment l'argent affecte leur relation interpersonnelle. Ils ne se parlent pas non plus de leurs peurs, de leurs insécurités: lui ne dit pas comment sa virilité est liée à son image de bon pourvoyeur; elle ne dit pas ce qu'elle ressent quand elle doit dire non aux enfants, ou quand elle se voit moins bien habillée que les autres femmes.

Ah non! Tu ne vas pas encore revenir là-dessus!

Presque toujours, on n'évite pas un sujet parce qu'il est trop difficile ou parce qu'il pose un problème sans solution, mais parce que le mari ou la femme croit que son conjoint ne va pas l'écouter. En certains cas, l'un des deux craint que, s'il écoute, il devra faire des choses contre son gré. Mais attention: écouter n'a rien à voir avec décider; il s'agit pour le moment de vivre une expérience avec l'autre personne.

Une autre raison qui nous fait éviter des sujets de conversation, c'est qu'ils ont une grande importance pour nous deux, mais qu'ils nous divisent. Il est risqué de les aborder. Nous avons des opinions différentes et cela risque de nous blesser.

Pour triompher de cette difficulté, on peut aborder ces sujets à une grande profondeur, écouter l'autre non pas avec l'intention de changer ses opinions mais de comprendre ce qui est signifiant pour lui; non pas parce que le sujet est important et que le conjoint a une opinion correcte sur le sujet, mais parce qu'on l'aime.

Si notre communication n'est pas grande ouverte, si nous ne sommes pas décidés à parler de tout entre nous, nous limitons le champ de notre relation, comme si on se disait: « Je t'aime et je serai ouvert avec toi; tu connaîtras tout de moi... excepté quand il s'agira de ta mère, de tes opinions politiques, etc. »

S'il y avait un sujet que Benoît n'aimait pas à aborder avec sa femme Andrée, c'était celui de Berthe, une amie de celle-ci. Andrée semblait accepter tout ce que Berthe lui conseillait, en particulier au sujet des enfants. Et chaque fois qu'Andrée faisait une sortie avec Berthe, elle revenait à la maison de mauvaise humeur. Il s'ensuivait alors des scènes désagréables. Aussi Benoît avait-il décidé de ne plus en parler et d'endurer tout cela.

Mais un jour il a compris que cela non plus n'allait pas. Berthe restait toujours comme un écran entre lui et sa femme. Il crut bon d'aborder un jour le sujet, avec gentillesse et sans attaquer Andrée. Il n'essaierait pas de la changer mais seulement de partager avec elle ses sentiments. Ce n'était pas facile pour lui; il était plutôt agressif contre Berthe. Il comprit qu'il lui fallait oublier cette dernière pour porter sa pensée sur sa femme Andrée. Il lui dit qu'il voudrait parler avec elle et qu'il n'était plus aussi sûr des solutions à adopter. Il promit de ne pas être fermé ni aveugle à ce qu'elle dirait et de l'écouter à son tour. Puis il continua : « Nous avons besoin de parler en toute honnêteté de ce sujet, parce que cela nous fait mal, bien malgré nous. Je promets d'être gentil et compréhensif, pour que nous puissions parler calmement de Berthe, en gardant notre esprit centré sur notre relation et notre amour. »

C'était un premier pas dans la bonne direction. Benoît et Andrée n'ont pas résolu tous les aspects du problème, mais ils sont au moins capables de s'en parler, sur un ton plus acceptable.

L'exclusion entre nous de certains sujets conduit à deux choses : ou bien on les remâche constamment en dedans de soi ; ou bien on se met à en parler à d'autres personnes autour de soi. On commence alors à se sentir mieux compris des autres que de son conjoint. C'est une brèche dans la relation conjugale. On peut accepter le fait, se dire qu'on comprend ce qui arrive : « Après tout, personne ne peut être ouvert à tout. » Mais c'est une illusion : on ne comprend réellement qu'avec le cœur. Car la situation, plus souvent qu'autrement, équivaut à dire : « Ma femme ne me comprend pas », ou « Mon mari ne m'écoute pas vraiment ».

Nous avons besoin de nous parler de ces cas-frontières, non pas pour les régler, mais pour explorer ce qui se passe en nous à leur sujet. En d'autres mots, si la belle-mère est un sujet de conversation délicat, ce n'est pas elle que le mari veut connaître mieux, mais sa femme ! Il veut savoir ce qui se passe en elle à cause de sa mère. Si la femme éprouve de l'affection pour sa mère, elle a besoin d'en parler à son mari, non pour le convaincre que ses mauvaises relations avec la belle-mère sont de sa faute à lui, mais pour l'aider à ressentir un peu de la tendresse qui l'habite, elle. Et si, d'autre part, elle est toujours en conflit avec sa mère, elle n'a pas besoin d'attiser de pareils sentiments en lui, mais elle a besoin qu'il comprenne sa souffrance et sa peine. C'est ce qui compte à ce moment.

Si l'argent est un sujet difficile, le couple doit bien sûr

ajuster son budget, s'entendre sur le montant à mettre en banque et sur le budget de la semaine. Mais la femme a surtout besoin de comprendre la peur qui saisit son mari de les laisser sans ressources, elle et les enfants. Et cela, non pas pour qu'elle dépense moins d'argent ou qu'elle s'énerve si un enfant renverse le lait ou gaspille l'argent, mais pour mieux le comprendre, lui. En l'écoutant, elle l'aidera à mieux s'unir à elle et leur « conjugalité » ne s'en portera que mieux.

**Quelle est votre**          *Votre réponse:*
**plus grande faiblesse**
**dans l'écoute des autres?**

Je sais peut-être que mon défaut est de simplement « entendre » les autres, au lieu de les écouter vraiment. Ou bien je laisse des choses me distraire; ou bien j'écoute à moitié, laissant mes yeux et mes mains s'affairer ailleurs. Ou encore j'écoute en préparant ma réponse, ou je complète les phrases de l'autre.

Il se peut que je ne sois pas prêt à dire ou à entendre certaines choses. Mon grand défaut, enfin, est peut-être de ne pas être assez intéressé à écouter, et de ne pas faire d'effort pour m'améliorer.

D'un autre côté, je suis peut-être un bavard qui a toujours besoin qu'on l'écoute. Ou bien je me crois déjà excellent écouteur: je pense que je suis sensible aux autres et que je leur porte beaucoup d'attention. Je juge que c'est l'autre qui doit apprendre à m'écouter. C'est alors le plus grand des défauts, parce qu'il est sans remède: je suis « poigné » et je ne le sais même pas!

Autre défaut, mon manque de désir de donner à l'écoute la priorité qui lui revient. Je peux m'excuser en disant que je fais de mon mieux (« personne n'est parfait »), que je ne suis pas fameux pour écouter les autres et que je n'y peux rien.

Mais l'écoute est un aspect important dans la communication, et la communication est vitale dans la vie de mariage.

Il est possible aussi que je me laisse guider par mes sentiments quand il s'agit d'écouter. Si j'en ai envie, je te porterai attention; si cela ne me tente pas, je ne ferai aucun effort pour dominer ce manque d'attrait. Si je me sens proche de toi, affectueux et attiré vers toi, alors tout ce que tu me dis est important. Si je n'ai pas un tel sentiment, si je me sens le moindrement distant, il faut corriger tout cela avant que je t'écoute. Ce serait justement l'écoute, au contraire, qui diminuerait la distance entre nous.

Faut-il exiger ici du donnant-donnant? Trop souvent on se dit: « Je t'écouterai si tu m'écoutes. » Mais là n'est pas le point: la seule écoute dont je suis responsable est la mienne propre. Je ne puis demander à mon mari ou à ma femme d'écouter sur une base de stricte réciprocité. Je me suis engagé à écouter mon conjoint, peu importe si lui m'écoute ou pas. Cette façon de faire est plus difficile, mais c'est la seule qui tienne compte de la réalité.

Peut-être insiste-t-on pour que certaines conditions élémentaires soient remplies avant de se mettre à écouter l'autre. « Si tu ne me parles pas sur un ton acceptable, je ne t'écouterai pas. » Mais ce ton de voix indique peut-être, chez l'autre, un grand besoin qu'on l'écoute. Ou bien c'est la seule façon, pour lui, de parvenir jusqu'à moi. « Si tu n'es pas gentil avec moi je ne t'écouterai pas. » « Si tu ne me dis pas les choses que je veux entendre, si tu ne les dis pas de la manière que je veux, je ne t'écouterai pas. » « Je t'écouterai seulement quand je n'aurai rien d'autre à faire, quand rien d'autre n'attirera mon attention. » « Je t'écouterai seulement à un certain moment; puis je veux me détendre et me mettre au lit. »

En d'autres termes, nous avons tendance à fixer toutes sortes de conditions avant d'accepter d'écouter l'autre, ou même de faire effort pour l'écouter. Combien différente serait notre relation, si nous avions une attitude d'écoute ouverte et généreuse!

## Écoutez-vous
## de façon active
## ou passive?

Quand mes oreilles sont bonnes et que j'entends les paroles, je puis croire que j'écoute. Mais écouter n'est pas une expérience passive. C'est une expérience active, dans le sens qu'elle vous tire hors de vous-même.

Bien des fois tu ne peux pas tirer de toi tes sentiments et tes pensées. Tu as besoin de moi. Tu as besoin de mes encouragements, de ces signes verbaux et non verbaux qui prouvent mon attention. Tu as besoin de savoir que je t'écoute. Tu as besoin aussi que je t'aide, que je t'aiguillonne et t'encourage en te faisant signe que je comprends. Et je sais poser des questions: « Est-ce cela que tu veux dire? » « Comment te sens-tu quand tu me dis ça? » « Qu'est-ce qui se passe en toi, en ce moment? » « Est-ce que je comprends bien? » Quand de telles questions sont posées, on est sûr qu'il s'agit d'une écoute au niveau personnel.

Un jour que je donnais une causerie, une adolescente se mit à poser des objections, pas tellement à ce que j'avais dit, mais plutôt à ce que je n'avais pas dit. Je me mis à me défendre, disant que je ne m'objectais pas à ses idées mais que ce n'était pas le sujet que j'avais à traiter. J'argumentais ainsi depuis un moment quand tout à coup elle fondit en larmes. C'est seulement à ce moment que je la vis comme une personne. Au lieu d'attaquer ses positions, je me mis à écouter ce qui venait vraiment de son cœur. J'avais besoin de dépasser ses paroles et de lui donner du support. Quand je l'ai fait, toute son attitude a changé et elle est partie heureuse et souriante.

Pour bien écouter, il ne suffit pas de ne pas interrompre notre interlocuteur, ni de donner au bon moment un signe d'assentiment et d'encouragement, ni de donner des avis quand la personne a fini de se confier.

Autrement dit, écouter ne veut pas dire seulement assimiler les révélations de l'autre, c'est participer activement à cette révélation. Il est difficile à quelqu'un de se révéler à lui-même; ce n'est pas comme de vider une boîte. Tu as besoin de ma coopération pour parvenir à le faire.

Cette révélation est une chose délicate. C'est un grand risque pour toi de me confier ce qui se passe en toi. Si tu es de caractère taciturne (plutôt silencieux), tu ne sais peut-être pas comment parler de toi. Tout au long de ce processus de révélation, je dois être un participant actif, je dois me montrer utile et intéressé, montrer que je prends soin de toi, et m'émerveiller de la façon dont tu partages avec moi.

J'ai tout intérêt d'ailleurs à m'impliquer ainsi. Je ne peux absorber en un seul coup la plénitude de ce que tu es. Je dois comme déguster ce que tu me révèles graduellement, je dois faire partie de cette révélation, pour parvenir vraiment à te comprendre, à être présent et attentif à toi.

Une de nos difficultés vient de ce que nous rapetissons l'écoute, nous en réduisons la qualité. En fait la faculté d'écouter est l'une des plus grandes en l'homme, un don merveilleux, un des pouvoirs les plus extraordinaires que Dieu nous ait donnés. Il produit des effets incroyables. Un homme ou une femme qui vit l'expérience de se sentir écouté est transporté au septième ciel!

*Quand tu m'écoutes ainsi, je découvre d'autres facettes de moi-même*

## Quel est
## votre plus grand talent
## quand il s'agit d'écouter?

*Votre réponse:*

Comment faire pour aider la personne que j'aime à se sentir comprise? Quelles qualités me permettent de l'atteindre?

On est tenté de hausser les épaules en se disant: je n'ai pas grand talent pour écouter. Mais c'est là une mauvaise excuse. Je dis ainsi aux autres de ne pas trop attendre de moi que je les écoute. Et je ne serai jamais meilleur que «pas mauvais»! Une façon de m'améliorer est de découvrir ce que je fais de mal et de travailler à le corriger. Une autre façon consiste à trouver ce que je fais de bien et à l'améliorer encore. Il est bon d'être conscient de sa valeur propre pour mettre davantage en valeur ses talents.

Peut-être avez-vous essayé honnêtement de bien écouter les autres? L'important n'est pas de réussir à tout coup mais de continuer à essayer. Il est possible que vous soyez attentif à votre partenaire et que vous le compreniez bien. Vous savez combien il est important pour lui ou elle de se sentir écouté et vous lui faites ce cadeau, parce que vous l'aimez. Vous avez peut-être de la patience, évitant de l'interrompre même s'il tourne longtemps en rond avant d'aborder son sujet.

Ou bien votre talent propre est de vous intéresser activement à l'autre personne et à ce qui se passe en elle. Ou bien c'est une gentillesse envers elle qui l'encourage à prendre le risque de se révéler. Vous pouvez aussi avoir le don d'empathie qui vous fait ressentir avec l'autre personne.

Quelle que soit votre habileté spéciale, soyez-en bien conscient. Fêtez cette découverte! Voyez comment vous pouvez développer ces talents et les mettre au service de votre conjoint.

Si vous trouvez difficilement vos qualités d'écoute, demandez à votre partenaire. Il vous comprend probablement mieux que vous-même, et il est plus généreux que vous dans ses appréciations. (Même si vous croyez bien connaître vos talents, demandez-lui quand même son avis.) Il vous aidera très certainement à mieux apprécier ces qualités et vous verrez combien elle sont importantes pour lui ou elle.

**Demandez-vous à votre conjoint de vous aider à mieux écouter?**    *Votre réponse:*

Savoir bien écouter, ce n'est pas un talent personnel et privé qu'on apporte le jour des noces. Il y a, bien sûr, une dimension personnelle à l'écoute, mais ce n'est pas le domaine d'un seul des partenaires. Les deux sont responsables de l'amélioration en ce domaine.

Il est partiellement vrai que c'est moi qui dois améliorer mon écoute, moi qui dois changer. Je dois découvrir ce qui est bien et ce qui est mal en moi, je dois prendre la décision de m'améliorer et y travailler par moi-même. Mais tu peux m'aider à évaluer les résultats et me dire ce qui est important pour toi.

Il faut être deux pour écouter, pas seulement parce qu'il faut un parleur et un écouteur, mais parce que tous deux doivent s'y impliquer personnellement. Si je veux mieux t'écouter, en toute sincérité et honnêteté, je t'amène à l'intérieur du processus. Je puis aborder le sujet avec toi pour découvrir mes points forts et les améliorer encore, et aussi mes points faibles et y remédier. Je dois te demander comment faire pour que tu te sentes mieux compris, plus proche, dans la chaleur et la protection. Et qu'est-ce que je fais qui empêche que tu te sentes bien compris.

Il nous faut savoir qu'il n'y a pas d'*écoute en général*.
Tout geste d'écoute est fait sur mesure. Dans la relation
époux-épouse l'action d'écouter est spécifique et person-
nalisée. Votre conjoint a besoin de se sentir écouté d'une
manière unique, qui a du sens pour lui. Il peut, en con-
séquence, vous aider à inventer une façon d'écouter
spécialement adaptée à lui. Il peut non seulement vous en-
courager, vous informer si votre façon d'écouter marche
ou non, mais préciser avec vous ce que l'écoute veut dire
pour lui. Vous avez à l'écouter d'une manière signifiante
pour lui, avec les nuances qui lui diront votre sympathie
d'oreille et de cœur. Si vous écoutez pour vrai, vous irez
ainsi vers l'autre: c'est lui qui tracera le profil de votre
écoute et vous saurez exactement les attitudes pratiques et
les méthodes qui pourraient créer le meilleur environnement pour qu'il s'ouvre librement à vous.

Michel et Hélène se sont parlé, un jour, de la meilleur
manière de s'écouter l'un l'autre. Elle dit à Michel que la
meilleure manière pour lui de l'écouter, c'est de lui laisser
finir ce qu'elle a commencé, sans poser de questions. Elle
lui dit gentiment qu'elle a 50% de chances d'être ainsi
écoutée. La moitié du temps, il regarde la télévision ou une
revue, ou bien il tient un crayon à la main.

Hélène explique ensuite quelle différence cela signifie
pour elle quand ils ne sont pas uniquement centrés sur le
sujet de conversation mais qu'ils communient aux sentiments l'un de l'autre. Elle aime qu'il lui tienne la main ou
entoure son épaule; mais elle ne veut pas être trop
enveloppée non plus, car elle a le sentiment alors d'être
moins écoutée mais plutôt accueillie avec sympathie. Elle
note aussi que souvent l'esprit de Michel paraît très affairé,
comme s'il pensait à autre chose et préparait des projets.
C'est quand il s'assoit calmement près d'elle qu'elle sent
qu'il l'écoute bien.

Michel confie à son tour qu'il se sent écouté quand
Hélène intervient beaucoup dans la conversation; autrement, il est vite rendu au bout de ses idées. Il ne sait plus
alors où il en est avec elle. Il aime bien aussi qu'elle le
touche gentiment, cela lui donne de la confiance pour continuer à s'ouvrir à elle.

Il est important pour Michel que la conversation ne soit pas interrompue. Il souhaite qu'Hélène mette de côté les petits détails, toutes ces distractions qui l'entraînent loin de lui. S'il s'en produit, Michel a l'impression qu'il faut tout recommencer à partir du début, parce qu'il a perdu le fil de ses pensées et ne sait plus trop ce qu'il vient de dire. Ils ont eu bien du plaisir à se dire tout cela et ils ont appris davantage sur eux-mêmes qu'ils ne l'avaient fait depuis longtemps.

La meilleure façon d'écouter, ce n'est pas de suivre un lot de principes pleins de bon sens. C'est simplement se bien syntoniser avec l'autre personne, et c'est votre conjoint qui vous dira si votre écoute lui parvient sans interférence. Alors vous écouterez à sa manière, non à la vôtre. Après tout, quand vous écoutez ce n'est pas pour vous, ni pour ce que vous en retirez. C'est pour votre partenaire, pour son bien à lui ou à elle.

**Que pouvez-vous faire pour aider votre conjoint à mieux écouter?**

*Votre réponse:*

Ce n'est pas assez de te demander de m'écouter, en laissant tout le fardeau reposer sur toi. Je dois jouer un rôle actif et t'aider à mieux m'écouter. Tu ne peux pas bien m'écouter sans ma participation et ma collaboration. Il est évident que je dois m'efforcer de parler clairement, être honnête et me révéler par mes paroles. Mais je dois aussi t'aider à acquérir de bonnes habitudes d'écoute.

Je dois te dire ce qui m'aide à être à l'aise et à m'ouvrir à toi. Peut-être que tes paroles aimables m'aident à exprimer ce que je veux dire; ou ton toucher m'assure que tu prends soin de moi et que tu t'associes à ce que j'essaie de te confier.

Je dois aussi te dire ce que tu peux faire qui me ferme et me fait croire que tu ne m'écoutes pas. Ou ce qui fait que je me sens jugé, ou me fait croire que tu ne t'intéresses pas à moi. Ce peut être le ton de ta voix, ta façon de me regarder. Ou bien tu parles trop, ou trop peu, quand j'essaie de me confier. Ou encore tu me laisses patauger quand je cherche désespérément mes mots. Il est possible que j'aie besoin de parler sans fin pour trouver où j'en suis. Je sens parfois en moi des choses qui auraient besoin de sortir au grand jour, mais je n'arrive pas à les identifier. Ou bien j'ai peur d'être rejeté, que tu juges banal ou insensé ce que je veux dire. Au lieu de continuer à patauger, en faisant appel à ta patience et à ta tolérance, je pourrais te dire ma frustration et demander de l'aide.

Toi et moi devons nous parler honnêtement et sans détour de l'effet que produisent en toi mes paroles et ma façon de les dire. Le choix des mots et le ton de ma voix peuvent te rebuter. Ou bien je ne me laisse pas toucher, ou je ne te touche pas quand je parle, et cela te fait mal. Pour être sûr qu'on m'écoute, j'ai peut-être constamment besoin d'approbation expresse ou tacite. Ou bien je parle énormément pour dire peu de choses. Ou c'est tout le contraire : je parle très peu et, quand je le fais, j'attends une relation instantanée, avec de la compréhension et de la sympathie.

Nous devons travailler d'arrache-pied à contourner ces pierres sur la route de notre écoute mutuelle. Si je ne me révèle pas régulièrement, une ouverture occasionnelle donnera peu de chose. Et il te sera presque impossible de te syntoniser avec moi et de t'ajuster avec précision.

Je laisse peut-être mes sentiments décider si je t'écouterai ou non. Si je me sens proche de toi, s'il y a de la chaleur entre nous, tu es alors important pour moi et tout ce que tu dis compte à mes oreilles. Mais si je suis perdu dans mes pensées, si je me sens déprimé, solitaire ou fatigué, je ne sens aucun penchant pour toi et je m'attends à ce que tu le comprennes. En de telles circonstances, mon attitude en est une de non-écoute. La volonté d'écouter doit être déterminée non par *ce que je suis,* mais *par ce que tu es!* La motivation qui me pousse à t'écouter, c'est tes besoins et ton profit, non pas les miens.

Ma façon d'écouter peut être influencée aussi par mes réactions aux chocs. Ce que tu me dis me trouble; comme je n'aime pas être troublé ainsi, je tourne le bouton ailleurs. Si tu cesses de me faire mal, alors je t'écouterai. En d'autres mots, je t'oblige à décider si je t'écouterai ou non. Tu dois payer le prix, si tu veux que je t'écoute. On s'excuse en se disant: «Qu'est-ce que je peux faire d'autre? Dans la circonstance, je ne suis pas obligé d'écouter.» Avouons au moins que ce n'est pas correct de laisser les sentiments décider si nous écouterons ou non: alors il y a encore quelque espoir de changement dans notre façon d'écouter.

Quand nous verrons qu'il est possible de devenir un bon écouteur et que ce n'est pas à l'autre personne de changer, alors nous aurons un réel désir d'améliorer notre part du dialogue.

*Se créer un climat romantique, ça aide aux confidences*

**Dans quel environnement vous est-il le plus facile d'écouter ?**

*Votre réponse :*

Toutes les fois où vous sentez la sécurité et l'intimité qui vous mettent en contact avec vous-même et vous permettent de vous révéler à l'autre, alors l'environnement est bon pour l'écoute.

Il faut donc que je considère important de t'écouter, assez important pour que je m'y prépare. Je ne peux pas entrer à la maison, un soir, la tête pleine de 50 autres choses, ou bien t'accueillir à la porte avec la certitude que tous deux nous sommes dans les dispositions de nous écouter. Nous devons y penser d'avance, non seulement *sur quoi* nous allons échanger, mais surtout *sur la manière* de le faire.

Voici quelques trucs qui pourraient vous être utiles :
— Il est plus facile de se parler, habituellement, quand nous sommes proches l'un de l'autre, par exemple assis côte à côte, pour éprouver la présence de l'autre et non seulement entendre ses paroles.
— Il est important de se toucher : on entend avec le bout de ses doigts tout autant qu'avec ses oreilles.
— Le regard aussi aide à s'écouter : en regardant dans les yeux de l'autre, on l'attire pour ainsi dire en soi. (On peut apprendre énormément sur l'autre par le regard, tout comme par les mains !)
— En étudiant la fréquence et la spontanéité de nos échanges, en voyant si c'est l'émotion du moment et nos fantaisies qui en déterminent les circonstances, nous apprendrons à mieux nous écouter l'un l'autre.
— On pourrait aussi se demander : « Est-ce que j'utilise

bien les outils qui sont à ma disposition?» On ne peut programmer d'avance son écoute pour les moments où surviendra quelque chose d'important, mais on peut s'exercer sur des questions de moindre importance. On peut aussi faire l'inventaire de ses plus grandes qualités et les mettre en valeur.

— De même, en prenant conscience de ses déficiences et en travaillant à les corriger, on augmente sa capacité d'écoute vraie.

L'expérience nous dira comment mieux écouter. Et l'effort en vaut la chandelle!

# Les décisions

Une bonne décision
c'est une façon d'agir
qui fait grandir notre amour.

# 2

**Comment vous classez-vous comme personne de décision?** *Votre réponse:*

Regardons-nous honnêtement et évaluons-nous comme personnes de décision. Car il importe beaucoup de prendre de bonnes décisions dans notre vie. Nous sommes souvent en situation où nos décisions auront un impact de longue portée. Il y a aussi les petites décisions que l'on prend chaque jour. Tout ce processus de prise de décision joue un rôle vital dans la vie du couple marié. Nous avons, comme couple, à décider où nous allons vivre, quel travail nous accepterons; déménagerons-nous dans le voisinage de notre occupation? les beaux-parents viendront-ils vivre avec nous? comment dépenserons-nous notre argent? Il y a aussi les décisions concernant le menu de chaque jour.

Nous avons aussi à décider de nos loisirs, de nos sorties, d'anniversaires à célébrer, de nos vacances.

Et nous agissons comme la plupart des couples qui n'apportent pas beaucoup de réflexion dans la manière de prendre des décisions. Nous prenons pour acquis qu'il faut décider et nous le faisons.

Nous faisons de notre mieux et nous nous lamentons plus tard quand cela tourne mal. Nous pouvons être mécontents des résultats des décisions prises ou encore nous sentir coincés d'en avoir un si grand nombre à prendre, mais nous ne savons pas comment faire face à la situation. Il nous arrive aussi de nous quereller, de blâmer l'autre quand la décision s'avère mauvaise. On dira, par exemple : « Je ne te laisserai plus prendre de décisions. » Ou encore : « Je ne suivrai plus tes conseils ! » Conclusion qui n'est ni sage ni prudente.

Prendre des décisions constitue une partie importante de notre vie. Il ne se donne pas de cours en cette matière. Probablement que nous n'avons jamais discuté ensemble de ce sujet pour examiner notre manière de faire : est-elle bonne, pouvons-nous l'améliorer, qu'est-ce qui est essentiel, qu'est-ce qui intervient dans notre manière de faire ? Il est possible de demander conseil ou de lire sur le sujet.

Mais si nous laissons aller les choses en supposant que nous agissons bien, nous n'exploitons pas vraiment nos capacités. Quelles que soient nos qualités, si nous n'examinons pas sérieusement notre manière d'agir dans ce domaine, si nous n'essayons pas de nous améliorer, nous ne serons jamais aussi bons que nous aurions pu le devenir. Nous nous torturons peut-être à prendre des décisions, examinant tous les angles de la situation et demandant conseil à droite et à gauche. Nous sommes-nous déjà vraiment arrêtés pour examiner la manière dont nous entreprenons la prise de décision ? Nous sommes tellement absorbés par les problèmes qui demandent une solution immédiate que nous ne voyons pas que la manière d'aborder une décision est souvent plus importante que la décision à prendre elle-même.

*Laisse donc faire... Je vais m'occuper de tes vêtements...*

**Pourquoi êtes-vous habiles
à prendre des décisions
dans certains domaines
et moins en d'autres?**

*Votre réponse:*

Il y a probablement des situations où les décisions que nous prenons sont presque toujours bonnes. Peut-être ne prenons-nous même pas conscience de ce fait. Une bonne manière d'améliorer notre façon de faire est précisément d'explorer ce que nous faisons de bien. Que faisons-nous lorsque nous prenons de bonnes décisions? Si nous pouvons découvrir les qualités et les démarches mises en œuvre lors de bonnes décisions, nous pourrons les transposer dans les domaines où nous ne réussissons pas ou encore où nous nous sentons hésitants.

Si nous réussissons à prendre de bonnes décisions dans un certain domaine, c'est sans doute parce que ce domaine est très important pour nous, que nous apportons beaucoup de soin à l'examen du meilleur choix à faire. Ainsi nous devenons familiers avec tous les aspects du problème ou de la situation. Nous croyons alors que nous sommes capables de prendre la situation en main; nous ne nous sentons pas écrasés lorsqu'il faut prendre la décision. Une bonne connaissance de la situation fait toute la différence.

Nous ne réussissons pas aussi bien dans un nouveau domaine. Lorsque nous nous sentons incompétents, moins renseignés, la décision à prendre nous trouve tout à fait démunis. Soit alors que nous nous abstenions de prendre une décision, soit que nous retardions jusqu'à l'extrême limite du temps disponible, soit encore que nous prenions une décision rapide pour nous débarrasser et n'y plus penser. Décisions téméraires, coups de tête. De plus, en agissant ainsi nous nous dévalorisons.

Un regard sur l'ensemble du problème nous aide à prendre de meilleures décisions. Si une solution s'avère bonne et durable, la prochaine fois nous aurons davantage confiance en nous. Parfois, il est facile de prendre une décision qui résout un problème dans l'immédiat mais qui en crée un plus grand pour l'avenir. Une décision qui résout un problème actuel aigu mais ne considère pas le futur peut s'avérer désastreuse.

Si j'accepte un emploi qui comporte des heures de travail supplémentaires et une plus grande tension, je peux rapporter plus d'argent pour payer les factures, mais je fais peut-être aussi un accroc à notre mariage. Je ne serai pas à la maison aussi longtemps que je devrais y être, ou encore, lorsque j'y serai j'y arriverai vidé, incapable de donner ce que mon épouse attend de moi.

Nous pouvons décider que nos enfants participeront aux classes de danse, ou au mouvement scout — choses excellentes — mais ces activités nous sépareront peut-être l'un de l'autre. Il faudra conduire les enfants en auto, les ramener, etc. Nous serons rarement ensemble. Une bonne décision tient compte des résultats immédiats aussi bien que des effets à long terme.

Que dire des décisions que l'on prend ensemble? Elles augmentent en nous le sens de la solidarité, la conscience de n'être pas seul: nous partageons les succès et les échecs. Nous croissons en intimité et nous expérimentons la joie d'être unis. Nous avons partagé nos intuitions en examinant nos points de vue et la décision devient notre mutuelle responsabilité.

**Pourquoi éprouvez-vous**    *Votre réponse:*
**des difficultés à prendre**
**des décisions?**

Il est probablement plus difficile de prendre des décisions lorsque nous ne nous entendons pas sur le but à atteindre. Nous pouvons trouver des façons différentes d'aborder un but commun. Mais si nous avons des buts divers, le problème est de taille. Souvent nous ne savons même pas que nos buts sont différents puisque nous n'en avons pas discuté. Nous réalisons que nous n'abordons pas la décision d'un même cœur et d'un même esprit. Et nous ne savons que faire. Alors quand la décision doit être prise, nous aboutissons à une sorte de compromis, de concession faite à contre-cœur, ce qui amène un non-engagement de la part de l'un ou de l'autre. Ce n'est pas une atmosphère favorable pour prendre une décision bonne et efficace.

Que faire pour améliorer nos décisions quand nos buts sont différents? Il faut retourner en arrière, trouver ce qui nous tient à cœur et regarder le but que nous nous proposons. Ensuite, travailler ensemble à l'élimination de nos divergences, sans nous intimider, sans essayer de prouver que l'autre a tort ou a raison, simplement en cherchant avec honnêteté les valeurs qui sous-tendent la position de l'autre. Je dois sincèrement communier à ce qui te tient à cœur et comprendre tes attitudes. Cela ne signifie pas que je doive adopter ta position.

Mais pour prendre une décision en harmonie avec mon conjoint, nous devrons partager l'expérience de nos valeurs d'un même cœur et d'un même esprit.

Les leçons de musique des enfants de Suzanne et de Hughes amenèrent des conflits. Suzanne avait à cœur que les enfants étudient tous la musique. Hughes n'y était pas opposé mais il était moins enthousiaste. Il voyait le bien-fondé du projet, était enclin à l'accepter parce que Suzanne y tenait beaucoup. Par ailleurs, il n'avait pas tellement hâte d'entendre tout ce bruit en rentrant à la maison le soir. Alors les deux en ont causé longuement, et Hughes de découvrir que Suzanne, enfant, avait appris la musique et qu'elle en avait tiré beaucoup de satisfaction. Elle désirait que ses enfants éprouvent un plaisir semblable. Il ne s'agissait pas seulement de juger que l'étude de la musique était une bonne chose et qu'il était raisonnable de cultiver les talents des enfants. Dès que Hughes prit conscience de la vision de Suzanne, la situation changea. Il commença à partager l'expérience qu'elle vivait, et la décision de faire étudier la musique aux enfants fut tout autre. Les deux parents voulaient partager avec les enfants la richesse de l'expérience que Suzanne avait vécue.

Si nos buts entrent en conflit dans divers domaines, alors nos décisions seront du genre de celles-ci: « J'ai cédé la dernière fois, c'est à ton tour maintenant. » Ou encore: « Nous finirons par partager nos secteurs de vie en responsabilités individuelles. » C'est son domaine, elle prend les décisions; ici c'est mon domaine, je prends les décisions. Voilà une réelle démission. C'est comme si nous disions: Inutile de nous rencontrer: nous ne pouvons pas travailler ensemble dans certains domaines. Une telle attitude peut sans doute éviter les frictions, mais elle ne bâtit pas « notre vie à deux ».

Ensuite, essayer de résoudre deux problèmes en même temps nous amène ordinairement à prendre de mauvaises décisions. C'est ce qui arrive quand nous prenons une décision en louchant sur une autre. Nous ne sommes pas totalement attentifs. Nous projetons des éléments du deuxième problème sur le premier, ce qui modifie notre approche. Cela amène de la confusion, surtout si le souci du deuxième problème ne préoccupe qu'un des conjoints.

Monique et Robert doivent décider si leurs fils Eric aura une bicyclette. Monique est au courant des mauvais résultats scolaires de l'enfant. Quand Robert le saura, il ne sera certainement pas disposé à faire des faveurs à son garçon. Monique voudrait donc qu'Eric ait sa bicyclette avant que son père connaisse sa performance scolaire.

Louis et Denise discutent de l'achat d'une nouvelle auto. Louis mentionne que ça coûte toujours plus cher pour vivre... et il fait promettre à Denise de dépenser moins pour la maison.

Dans l'un et l'autre cas, le deuxième problème aurait dû être envisagé directement plutôt que d'être introduit par la porte d'en arrière à la faveur d'une autre question.

Quand notre égoïsme entre en jeu, quand je veux faire à ma tête, quand je veux quelque chose pour moi-même et que je suis déterminé à l'avoir, nos décisions risquent fortement d'être mauvaises. Une telle attitude nous amène à prendre des décisions qu'en d'autres moments nous ne prendrions pas. De telles décisions font boule de neige et portent le partenaire à se venger. « Il s'est servi la dernière fois. C'est maintenant à mon tour d'avoir ma part. » Ou encore: « Elle a gagné; à mon tour de revendiquer mes droits. »

On éprouve aussi des difficultés à prendre des décisions quand l'un ou l'autre des époux a plus confiance aux conseils et recommandations d'étrangers qu'à ceux de son conjoint. L'on peut évidemment recourir aux conseils et à la direction d'étrangers, mais ce sera une expérience tonifiante que de les recevoir et de les évaluer ensemble. Trop souvent, je présente l'avis reçu d'un ami, d'un conseiller, d'un prêtre, d'un homme d'affaires, comme vérité d'Évangile à accepter. Je semble dire alors que j'ai plus confiance en eux qu'en toi et je permets à un tiers de déterminer notre manière de vivre. Le conseil peut être très bon, mais nous avons à vivre notre décision dans notre relation interpersonnelle et à l'intérieur de notre style de vie, ce qui n'est pas le cas pour la tierce personne. Quelque judicieux que soit cet avis, il ne sert à rien s'il ne nous aide pas à bâtir notre vie de couple. Il faut donc l'examiner ensemble car c'est à l'intérieur de notre relation interpersonnelle que la décision doit être prise et exécutée.

Il y a conflit dans le processus de décision lorsque l'un des partenaires se sent plus habile et dévalorise l'autre. Sans juger le partenaire stupide, je le juge moins informé et sans expérience suffisante dans un domaine donné.

Exemple: au sujet des enfants, l'épouse pense qu'elle est plus proche d'eux que le mari; elle passe plus de temps avec eux. Elle croit que son jugement est automatiquement meilleur. S'il s'agit d'affaires ou d'argent, l'époux peut penser que son épouse ne sait pas grand chose. Il n'accepte pas la justesse de son jugement en ce domaine.

Quand je n'ai pas confiance en toi, je peux te permettre de discuter, t'écouter d'une oreille distraite, mais je ne te prends pas au sérieux. Alors les décisions prises te causent une certaine frustration parce qu'en réalité tu en as été exclu(e). La prochaine fois qu'un cas semblable se présentera, tu hésiteras à avancer ton opinion sachant que ton partenaire n'a pas confiance en toi. Tu es sur la défensive. Tu sens que tu dois d'abord prouver ta compétence dans ce domaine, que tu dois avoir quelque chose de vraiment solide à dire. Aussi longtemps que j'aurai un préjugé sur tes capacités, mon oreille sera fermée à tes avis. Je dois respecter ton opinion en quelque domaine que ce soit pour que nous puissions prendre une décision ensemble.

Une autre attitude peut nuire à la prise de décision. Il s'agit de la réaction du partenaire qui, lorsque les choses tournent mal, déclare: « Je te l'avais bien dit ! » Rien de tel pour saper la confiance de l'autre. Cette attitude freine sa liberté de penser et de faire des recommandations. Une personne qui craint d'entendre l'autre lui dire: « Je te l'avais bien dit » sera très prudente et n'osera pas s'engager dans une décision. Elle n'est pas sûre d'elle-même. Elle se retire.

Si nous voulons être francs l'un envers l'autre, nous devons cesser intérieurement de remettre en question le bien-fondé d'une décision. Cela n'avance à rien. Ce qui ne veut pas dire qu'il est interdit de reviser une décision, de reconnaître une erreur commise ou de voir à l'éviter à l'avenir. Mais, si nous le faisons, nous prenons une commune responsabilité pour la décision fautive. Si l'un des deux proclame son innocence et montre l'autre du doigt, c'est mauvais pour les deux et pour la relation interpersonnelle.

Une autre attitude très frustrante est celle du conjoint qui déclare, quand les choses commencent à mal aller: « C'est une décision qui ne me plaisait pas tellement. » Ou encore: « Quelque chose me disait que ça n'allait pas marcher. » Impressions qu'il n'a évidemment pas mentionnées lors de la prise de décision! Ce qui enrage l'autre partenaire qui réplique: « Mais pourquoi ne l'as-tu pas dit? » Et la réponse vient: « Tu avais l'air si sûr(e) de toi. Je ne voulais pas te dégonfler. Et puis, quand je suis hésitant(e), tu me demandes toujours des raisons. Une intuition, ce n'est pas une raison; alors, je l'ai gardée pour moi. »

Qu'est-ce qu'il y a au fond de cette attitude? On veut tout d'abord obtenir le crédit d'avoir eu une intuition juste, même si on ne l'a pas exprimée. Et l'on blâme le conjoint d'avoir été lui-même cause de ce silence. L'on gagne ainsi sur deux terrains à la fois: on s'est montré respectueux envers l'autre en ne le contredisant pas et l'on avait raison dès le début!

Notre processus décisionnel est en difficulté si l'un des deux insiste pour prendre une décision prétendant posséder un instinct mystérieux — genre radar. Par exemples: « Je ne te donne pas de raisons à analyser et peser. Fais-moi confiance. Mon intuition me dit que... » « Mon expérience m'amène à prendre cette position. » Ces intuitions ou instincts, les sentiments des tripes, sont toujours le résultat d'expériences passées. Nous avons vu d'autres personnes réagir de telle ou telle façon en des circonstances semblables; nous nous souvenons aussi de nos réactions personnelles. Rien de mystérieux à cela: une intuition peut être très raisonnable même si à première vue, elle ne semble pas logique. Rien de mal à l'exprimer. En toute honnêteté, je ne puis t'offrir une conclusion sans partager avec toi ce qui m'y a amené.

## Lequel de vous deux prend ordinairement les décisions?

*Votre réponse:*

Il arrive souvent dans une relation de couple que soit le mari soit la femme — consciemment ou inconsciemment — assume le rôle de « preneur » de décisions. Ils ont accepté de commun accord que l'un des deux avait un meilleur jugement. Alors face à un problème, c'est automatique — l'agent choisi se met à l'œuvre. C'est expéditif. Les deux sont plus intéressés à ce que la décision se prenne qu'à ce qu'elle soit une décision de couple. Un tel procédé a un effet néfaste sur la relation interpersonnelle. A toute fin pratique, il élimine un partenaire comme responsable. Ce dernier peut offrir des suggestions mais il ne prend pas au sérieux l'importance de la décision. Il sait qu'en fin de compte l'autre décidera. Souvent le couple ne se rend pas compte de ce qui se passe vraiment.

Jacques et Marie semblaient tous deux assez accommodants parce qu'ils avaient échangé ensemble sur une décision à prendre. Marie avait suivi la discussion étape par étape jusqu'à sa conclusion logique. Mais c'est Jacques qui a fait le dernier pas et a formulé la décision. Le processus cependant avait été l'œuvre de Marie. Ni l'un ni l'autre ne s'en sont rendu compte. Alors, même s'ils pensaient être partenaires dans la décision, ils ne l'étaient pas.

Il est facile de se leurrer quand on veut identifier qui décide de fait. Prenons le cas de celui ou de celle qui dit : « Je ne peux pas toujours gagner », ou « Très souvent je lui cède », ou encore « Je lui laisse avoir ce qu'elle veut ». Mais qui arrive à la conclusion que « je lui cède » ou qu'« elle aura ce qu'elle veut » ? Si c'est moi, eh bien ! c'est moi qui prends la décision !

## Avez-vous chacun votre domaine de décisions?

*Votre réponse:*

Il arrive souvent qu'un couple établisse un domaine particulier de leur vie dans lequel l'un ou l'autre prendra les décisions. Ce peut être à la suite d'une discussion, ce peut être simple hasard ou encore situation de fait. Les décisions qui regardent le foyer sont prises par l'épouse, celles des finances par le mari. Tous deux ne voient rien de mal dans un tel arrangement. Ils en sont satisfaits.

Cela peut sembler fort raisonnable. Après tout, il faut prendre des décisions: l'expert n'est-il pas celui qui a la meilleure compétence, le plus d'expérience ou qui fait face le plus souvent au besoin de décider? Il semble donc qu'ils se font confiance l'un à l'autre pour ce qui est de ce domaine particulier.

Chacun sait que l'autre l'apprécie, comprend ses besoins, ne l'exploitera pas. De plus cela ne veut pas dire qu'il n'y ait pas de consultation mutuelle. Ils échangent beaucoup. Mais ils reconnaissent qu'au stade de la décision, celui qui décide est « l'expert » dans le domaine concerné.

Malheureusement l'autre partenaire n'est alors qu'un observateur ou un consultant. S'il s'agit des enfants, le mari est tout au plus l'épaule sur laquelle s'appuie l'épouse. Il ne se sent pas personnellement engagé. En définitive, l'épouse prend les décisions. Dans le domaine des finances, l'épouse sait que son mari est généreux, qu'il considérera davantage ses besoins que les siens. Elle ne s'engage pas en ce domaine.

Il ne s'agit pas de savoir ici si ces décisions prises individuellement sont meilleures ou non que celles prises ensemble, mais de réaliser que des décisions prises par un seulement ne font pas croître la relation interpersonnelle dans le couple. Nos finances peuvent être meilleures de même que l'éducation des enfants et la discipline à la maison, mais ce n'est pas l'élément vital de notre mariage.

Plusieurs épouses admettent : « Il est tellement meilleur que moi dans ce domaine. Il en sait plus que moi. Je ne suis qu'une femme de maison. » Le mari dira de son côté : « Elle s'occupe des enfants avec tant de doigté. Je suis souvent absent. C'est mieux qu'elle prenne les décisions au foyer. »

Le résultat brut, c'est que le fardeau des finances ou celui des enfants repose sur un seul. C'est à lui qu'incombe la responsabilité et il devra répondre auprès de son partenaire du bien-fondé de ses décisions. L'autre partenaire peut être très généreux et ne jamais dire « Je te l'avais bien dit », mais il se sent quand même exempté de toute participation personnelle.

Le résultat ? Un mariage plus ou moins huilé. Car dans plusieurs secteurs de leur vie conjugale, les époux ne sont pas l'un et l'autre engagés ensemble. C'est une manière de vivre la mentalité qui veut que le mariage soit une association de partenaires et non un appel constant à l'unité. Les époux deviennent des individus orientés vers une tâche. La manière dont nous nous en acquittons devient le barème de notre valeur. Pauvre fondement. Car au lieu de devenir plus efficaces, il serait préférable de devenir plus conscients l'un de l'autre et plus engagés dans la vie l'un de l'autre.

La plupart des maris s'efforcent d'assurer une vie convenable à leur famille. Ils admettent qu'ils doivent aider les enfants et travailler un peu à la maison. La plupart des épouses prennent grand soin de la maison, sont d'excellentes mères et de bonnes cuisinières pour tous et surtout pour l'époux qui rentre du travail.

Lucille et Marc fonctionnaient très bien ensemble, mais, en même temps, ils éprouvaient une certaine insatisfaction. Comme ils tenaient à améliorer leur vie de couple, ils se mirent à échanger sur ce sentiment qui les agaçait tous les deux. Ils se sont alors rendu compte qu'ils faisaient beaucoup de *choses* l'un pour l'autre mais que ce dont ils avaient le plus besoin, c'était de se parler davantage, de se sentir mieux écoutés et compris.

Au moment où Marc arrivait du travail, Lucille entrait en pleine action. Elle s'assurait que les enfants fassent leurs

Tout ce qui concerne Nathalie
nous le décidons ensemble.

devoirs, les préparait à se mettre au lit puis se mettait à cuisiner le repas. Marc lui donnait un coup de main et elle lui en était reconnaissante, mais c'est à peine si elle remarquait sa présence; c'est comme s'il était une aide-gardienne. Elle s'est aperçu depuis lors qu'elle doit modérer son rythme, en faire un peu moins de façon à être davantage avec Marc. Elle se prépare maintenant plus tôt pour le retour de son mari : délibérément et consciemment, elle choisit de prendre du temps pour être avec lui.

Marc, de son côté, s'est aperçu que, pour apporter plus de confort à sa famille, il ambitionnait trop l'avancement. Plus il causait avec Lucille, plus il comprenait qu'il était bien plus important d'augmenter ses attention pour elle que de grossir son chèque de paie. Ce n'est pas les choses qu'il pouvait lui offrir qui avaient de la valeur à ses yeux, mais bien plutôt ce qu'il était pour elle.

Peut-être un observateur de l'extérieur dira-t-il maintenant que la maison est moins bien tenue qu'avant. Mais ils le savent, eux, qu'ils ont raison : lui dont les yeux brillent et dont le pas est léger quand il rentre à la maison, elle dont la joie est profonde quand elle jouit de longs moments de la présence de son mari.

L'élément le plus important dans une prise de décision est l'effet qu'elle produit sur la relation interpersonnelle. Les décisions prises en fonction de nos connaissances ou de notre expérience n'améliorent pas cette relation. De telles décisions peuvent être efficaces pour la marche du foyer; elles ne nous enrichissent pas comme personnes.

Une mauvaise décision prise ensemble ne nous rapproche pas nécessairement l'un de l'autre. Mais une décision prise ensemble — moins parfaite au point de vue financier ou technique — est encore la meilleure à long terme. Après tout, si l'on veut économiser ou gagner plus d'argent, c'est pour être mieux ensemble; la bonne éducation de nos enfants ne consiste-t-elle pas à être près d'eux comme couple et à leur enseigner l'amour vrai?

Nous pouvons prendre toutes sortes de bonnes décisions en ce qui a trait à nos enfants, mais leur efficacité sera sensiblement diminuée si nous ne savons pas leur communiquer la chaleur de notre relation interpersonnelle.

L'intérêt élevé que nous nourrissons pour nos enfants ne se manifeste pas par des décisions raisonables mais plutôt par des décisions qui sont pleines de signification pour nous. Si une décision a un sens précis pour l'un des partenaires seulement, c'est une décision boiteuse. Mais si les décisions sont vraiment prises ensemble, tout ce que nous ferons produira des résultats meilleurs, et pour notre relation comme couple et aussi pour le bien des enfants.

**Qui de vous deux en arrive** *Votre réponse :*
**plus vite à une décision?**
**Quel effet cela a-t-il?**

Il arrive souvent que l'un des conjoints soit plus rapide et plus ferme que l'autre dans le processus de décision. Cela ne signifie pas nécessairement que l'un est lent, mais simplement que l'autre est plus rapide.

Il en résulte que les décisions sont faites par celui qui est plus rapide dans l'acceptation ou le refus des arguments considérés. Si je suis le plus rapide, j'annonce ma décision et nous finissons tous deux par adopter ma solution. Mais nous ne décidons pas vraiment ensemble. Je puis être ouvert aux suggestions de l'autre et même prêt à changer d'avis, mais c'est mon plan qui est sur la table et je ne donne aucune chance au partenaire.

Le plus rapide peut bien essayer d'améliorer la situation et se dire : « Je m'abstiendrai de parler et lui donnerai la chance de proposer son plan. » Ce serait déjà un progrès, mais il y a mieux. Si je suis le plus rapide, je ralentirai la formulation du problème de manière à ce que nous franchissions chaque étape ensemble. Autrement, j'aurai tout simplement plus de temps pour raffermir ma position. Je pourrai ainsi trouver plus d'arguments, prévoir les objections et leurs réponses. Je serai dans une position avantageuse même si je te laisse prendre la parole en premier.

Parce que le conjoint plus rapide est en avance et que sa direction est ordinairement acceptée, le plus lent risque de ralentir encore et d'abandonner la partie. Il pense qu'il ne peut pas rattraper l'autre; alors il préfère attendre que la décision lui soit présentée pour réagir ensuite. Dans ce cas, le couple ne reçoit vraiment pas la contribution de chacun; l'un d'entre eux n'est là que pour fournir ses objections ou son approbation à ce que le plus rapide a décidé.

**Exercez-vous un contrôle l'un sur l'autre dans vos décisions?** *Votre réponse:*

Nous pouvons influencer ou forcer l'autre à prendre une décision à notre vitesse. Exemple: le conjoint peut présenter des solutions l'une par-dessus l'autre et forcer son partenaire à choisir l'une d'entre elles. Le plus lent peut les rejeter toutes et ensuite se juger comme très négatif n'ayant dit que des « non ». Alors il répond oui seulement parce que l'autre lui a présenté plusieurs solutions.

Il peut aussi être poussé à prendre une décision avant d'être prêt parce que le plus rapide a présenté la sienne avec force, en soulignant l'urgence de la décision. C'est embarrassant de ne pas suggérer de solution quand l'autre en présente quinze à la minute.

Le conjoint plus lent peut aussi exercer une certaine pression. Il donne l'impression d'être réfléchi et plus fiable dans le processus de décision laissant ainsi entendre que l'autre manque de prudence ou de sérieux.

Le conjoint qui pèse tout peut être tellement lent,

méticuleux, examinant chaque facette du problème ou étape de l'approche, que l'autre en est totalement frustré et démoli. Ce dernier accepte alors n'importe quelle décision pour en finir. Il abandonne la partie: « Fais ce que tu veux, mais fais quelque chose. »

Et le conjoint plus lent blâme l'autre si les choses tournent mal et dit: « Parce que tu m'as pressé, tu m'as fait prendre une décision alors que je n'étais pas prêt; je n'avais pas eu le temps d'y penser suffisamment. » Il laisse entendre qu'à l'avenir, l'autre devrait accepter son rythme plus lent.

Souvent nous jouons de tels jeux inconsciemment. Les problèmes alors se compliquent. Nous nous déterminons des sphères de décision selon le rythme qu'elles demandent: l'un prend un secteur qui ne comporte pas d'urgences, l'autre s'occupe des domaines qui exigent une décision rapide.

Mais il est préférable que les époux s'engagent à participer ensemble au processus de prise de décision. Ils doivent adopter un rythme « de couple » plutôt que de garder un rythme individuel. La personne lente peut apprendre à fonctionner plus vite et l'autre plus lentement. L'important c'est de formuler nos décisions ensemble.

Ginette trouve facile de prendre des décisions concernant le foyer et ne comprend pas la lenteur de Luc. Il est lent parce qu'il demande toujours combien cela va coûter. D'un autre côté, il est toujours à s'offrir pour des activités en dehors du foyer et à s'embarquer dans diverses organisations. Il se décide sur-le-champ. Ginette ne peut pas répondre tout de suite dans ce domaine. Elle veut savoir dans quoi elle s'engage et quel temps elle devra y consacrer. Ils réalisent graduellement que le plus lent est tel parce que ce domaine l'affecte davantage.

Luc hésite dans les décisions du foyer à cause du budget. Ginette hésite dans les activités extra-familiales à cause du temps requis par sa famille. Alors en obtenant une vue plus claire des conséquences des choix à faire ils s'écoutent davantage l'un l'autre. Ils n'ont plus le sentiment d'être retenus, ralentis ou contrecarrés. Leurs décisions se font en coopération. Ils ne sont plus deux personnes se regardant de chaque côté de la clôture.

D'ailleurs nous pouvons être différents de plusieurs façon face à une prise de décision. L'un peut être prudent, intuitif, délicat dans son approche, alors que l'autre sera froidement méthodique, ferme et clair. Dans toutes ces attitudes, il faut voir des atouts à utiliser à l'avantage des deux. Mais si nous conservons nos qualités individuelles sans les intégrer à celles du conjoint, toutes sortes de difficultés peuvent surgir. Nous pouvons nous servir de ces qualités pour nous manipuler l'un l'autre et arriver à nos fins. Ou encore nous pouvons décider de choisir chacun notre sphère de décisions, celle qui va dans le sens de nos qualités personnelles, plutôt que de travailler à décider ensemble.

Autre différence: l'un peut préférer discuter beaucoup tandis que l'autre avant de parler aime mieux faire tout d'abord seul le travail de réflexion. Ce dernier risque alors de présenter à l'autre une situation toute pesée où la solution envisagée est à prendre ou à laisser. Ce qu'il fera sans aucune méchanceté d'ailleurs. Car il peut être prêt à accepter le rejet de l'autre et à repenser le problème. Mais il a si bien formulé sa propre décision que, même s'il prend l'autre en considération, sa proposition demeure au centre du débat.

Pour arriver à une vraie décision de couple, nous devons parcourir ensemble toutes les étapes de la prise de décision, de la cueillette des données jusqu'au choix des moyens pour mettre en œuvre l'action décidée. Nous devons aussi avoir constamment à l'esprit ce qui nous tient à cœur, à l'un et à l'autre, nos objectifs de même que notre rythme de cheminement. Ce qui importe avant tout, c'est que nous soyons à l'aise l'un avec l'autre, éveillés l'un à l'autre, à chaque étape de la prise de décision.

*Décider des prochaines vacances ce n'est pas une mince affaire*

**Qui de vous deux est le meilleur pour prendre des décisions et quel effet cela a-t-il?**

*Votre réponse:*

Si vous avez une aptitude supérieure pour prendre des décisions, cela fait partie de votre contribution au succès de votre mariage. C'est un cadeau que vous apportez à votre conjoint, un art qui vous profite à tous deux. Mais attention! S'agit-il vraiment d'un talent réel ou d'une aptitude supposée...?

Vous pouvez paraître le meilleur parce que vous êtes plus rapide, plus décidé que l'autre, que vous êtes plus réfléchi ou du moins en donnez l'apparence. Ce n'est cependant pas le rythme rapide ou lent qui confère le titre de bonne personne de décision.

Nous pensons aussi parfois que l'instruction, les années de scolarité donnent de la compétence en ce domaine. Ce n'est pas vrai nécessairement. Une personne peu instruite peut avoir une aptitude particulière pour décider.

De toute façon, si l'un des conjoints est beaucoup mieux doué pour faire des choix, son habileté doit être au service des deux. Il en est ainsi pour l'habileté d'une bonne cuisinière: son talent est souvent gaspillé si elle est toute seule à jouir de sa bonne cuisine et à en obtenir une certaine satisfaction. Ce talent sert vraiment quand elle l'utilise pour son conjoint et pour l'amélioration de leur relation interpersonnelle. L'homme peut être très habile à gagner de l'argent et bien réussir en affaires et ne pas en faire profiter sa relation avec son épouse. Une aptitude ou un talent portent vraiment tous leurs fruits quand ils sont partagés avec le conjoint, pour son bien et pour l'amélioration de la relation interpersonnelle.

**Quels obstacles rencontrez-vous dans vos prises de décision?**       *Votre réponse:*

Tout le long de nos journées, il se présente de nombreuses décisions à prendre immédiatement. La plupart sont stéréotypées et nous connaissons la pensée du conjoint sur le sujet en question. Il y a d'autres décisions que l'on voit venir. On en cause à l'occasion et lorsqu'arrive le temps de prendre la décision, le travail de réflexion est déjà fait. Là où naissent les frictions, c'est lorsque l'époux ou l'épouse prend seul de nombreuses décisions pour découvrir ensuite qu'elles ont agacé le conjoint.

Celui qui a décidé seul s'excuse alors en disant: « J'ai fait mon possible. J'ai voulu bien faire. Je ne savais pas que ça te déplairait. » Mais peut-on vraiment s'excuser de ne pas savoir? Car l'on peut prévoir qu'une série de décisions devront être prises dans un avenir rapproché et l'on peut alors échanger à l'avance sur les problèmes en cause.

Parce que la prise de décision faite en couple est chose neuve chez les gens mariés, le processus n'est pas sans faire problème. Il se peut que l'un prenne toujours l'initiative. Il devrait dans ce cas ralentir de temps à autre et délibérément laisser l'autre présenter d'abord sa réflexion.

Souvent la personne plus faible préfère que la plus forte prenne l'initiative parce qu'alors elle a une chance de contre-attaquer. Elle peut démolir la solution de l'autre et revenir avec sa propre solution. Nous devons nous examiner pour voir si nous ne nous manipulons pas l'un et l'autre dans notre approche de la décision.

Parfois nous ne prenons pas de décision parce que nous attendons à la dernière minute. De fait, personne n'aime réellement prendre des décisions. C'est une si lourde responsabilité car si nous faisons une erreur, nous devons en payer le prix. Si nous planifions à l'avance, alors une seule décision bonne, solide et réfléchie, pourrait en remplacer une dizaine de petites. Souvent ces dix décisions mineures finissent par être mauvaises parce qu'elles sont prises sous la pression d'une solution immédiate à trouver.

Parce qu'une décision comporte souvent des implications, comme les ondulations d'un lac où on a jeté une pierre, nous devons considérer tous les angles du problème. Alors seulement pourrons-nous voir si une décision est plus raisonnable que telle autre. Prenons un exemple: afin d'avoir une maison confortable, un couple décide de quitter la ville et de s'installer en banlieue. Les conséquences: le mari aura à voyager chaque jour pendant une heure et demie; l'épouse aura une plus grande responsabilité, elle devra prendre elle-même plus de décisions au sujet des enfants et elle sera seule. De plus leur vie à deux sera moins intense. (Ce qu'ils n'avaient évidemment pas en vue.) Lorsque le mari sera au foyer, il devra faire effort pour donner plus d'attention à son épouse. De son côté, elle devra devenir plus indépendante sinon elle exigera trop de son mari à son retour à la maison.

En même temps une nouvelle complication peut surgir si les époux pensent à se procurer une deuxième voiture: est-il sage de faire une telle dépense au moment où l'on achète une nouvelle maison et où l'on est à la merci des emprunts et des hypothèques? Ce qui entraîne une autre question: l'épouse reprendra-t-elle un emploi rémunéré? Et il y a les relations avec les beaux-parents qui ne peuvent plus facilement venir faire une saucette l'après-midi. Et il y a les soirées chez les amis.

Le mari dorénavant devra se lever plus tôt pour se rendre en ville à son travail: il devra se coucher plus tôt.

Il n'y a rien de mal d'avoir toutes ces décisions à prendre. Il eût été mieux cependant qu'elles ne viennent pas comme des surprises. Si le couple avait pensé avant à toutes les implications de leur déménagement, un tas de décisions auraient été plus faciles à faire. Peut-être même la décision première d'acheter une nouvelle maison n'aurait-elle jamais été prise...

Bien qu'une question soit assez reliée à une autre, souvent nous considérons l'une et l'autre séparément, analysant chacune en termes de la meilleure décision à prendre dans l'immédiat. Une telle approche peut permettre de prendre de bonnes décisions particulières qui se défendent bien mais qui ne s'harmonisent pas. Nous devons intégrer nos décisions dans un plan d'ensemble. Mais souvent nous ne prenons pas le temps nécessaire, pensant que la chance est de notre côté. Nous en avons vu d'autres souffrir des conséquences de décisions mal fondées, mais nous croyons que cela ne peut nous arriver.

Exemple: nous connaissons la mentalité de la banlieue, nous lisons les articles de journaux et les livres sur le sujet; l'isolement, l'ennui de la « famille nucléaire », faite du mari, de l'épouse et des enfants sans le prolongement des oncles, des tantes et des grands-parents. Nous allons de l'avant, prenons une décision en termes de satisfaction immédiate ou de liberté sans nous préoccuper que nous sommes des humains comme les autres. Nous connaîtrons les mêmes difficultés que d'autres. On peut difficilement gagner contre le système quand on joue selon les règles du système.

Nous devrions nous dissocier complètement du système si nous voulons vraiment vivre nos vies. Puisque nous ne nous dissocions pas du système, nous finissons par prendre les mêmes décisions que les autres. De fait nous avons posé les circonstances qui font que nous ne sommes plus libres

*laissons faire les voisins ... Qu'est-ce qu'on veut, au fond?*

du tout dans nos prises de décision.

Nous croyons en toute honnêteté que nous sommes indépendants alors que nous sommes devenus les jumeaux de nos voisins. Nous devons développer une véritable liberté de choix pour nous-mêmes, après avoir examiné tout ce que cela implique.

Michel a obtenu enfin la promotion désirée avec augmentation substantielle de salaire: son rêve et celui de Lise sont réalisés. Lorsqu'il rentre au foyer, il est si joyeux qu'il n'a pas à lui annoncer la nouvelle. Elle lui crie seulement: « Tu l'as, tu l'as eue. » Pendant plusieurs jours, ils se délectent de leur bonheur et commencent à faire des plans. Jusqu'ici Lise travaillait en dehors par nécessité pour que les finances du foyer ne les submergent pas. Son travail lui donnait un sentiment d'indépendance et d'importance. Maintenant ce salaire qui était sien pourra servir à leur procurer le confort qui leur était interdit. D'autre part, elle a toujours rêvé de retourner à l'université et d'obtenir un grade académique. Elle a toujours désiré être une graduée pour sa propre dignité, sa valorisation. De plus ce titre la qualifierait pour obtenir un meilleur emploi. Ils ont beaucoup de plaisir à discuter de tout cela, des avantages de toutes ces possibilités.

Un jour ils parlent de tout cela à un ami très cher, dont ils respectent le jugement et en qui ils ont confiance. Et lui de dire: « Je ne pense pas que vous envisagez toutes les options. Vous vous laissez séduire par une seule possibilité. Est-il bien sûr que l'université et l'emploi plus rémunéré soient le meilleur choix pour vous deux. Toi, Lise, considère au moins l'idée de jouir de la liberté qui t'est accordée, de ne pas retourner à l'université et de donner tout ton temps et ton attention à votre mariage. Ne tombe pas dans le panneau de penser que, si c'est bon pour l'un d'avoir plus d'argent ou plus de diplômes, ce soit également bon pour les deux.

Lise et Michel n'ont pas accepté d'emblée cette suggestion. Ils ont toutefois décidé d'y penser; cela ne leur a pas fait de tort. Michel de dire après: « Tu sais, Lise, c'est vrai que si tu es heureuse et contente, tu seras moins tendue, moins frustrée, et automatiquement ma propre vie sera meilleure. » Lise de répondre: « Nous ne pensons qu'à moi. Nous n'avons pas réellement pensé à nous, à nous ensemble. Nous avons cherché en dehors de nous ce qui pourrait nous satisfaire dans la vie. » Et Michel: « C'est vrai, je ne comptais pas sur toi pour mon bonheur. C'est mon travail qui remplissait ma vie, non pas toi. »

« Dans le fond, nous n'avons pas encore jugé que l'important c'est notre mariage. Ou pour le dire plus honnêtement, je ne pensais pas que je méritais tout ton temps et toute ton attention et que je pouvais te combler. J'avais sans doute peur d'être le centre de ta vie parce qu'alors je t'aurais fait le centre de la mienne. »

Lise et Michel se sont avoué l'un à l'autre qu'ils avaient peur. C'était courir un risque que de compter autant l'un sur l'autre. Ils ont pris la décision de le faire, non seulement cette fois-ci, mais d'établir comme norme générale de tout décider d'après ce qui affecte les deux, plus que selon ce qui les affecte en tant qu'individus.

## Revenez-vous constamment sur vos décisions?

*Votre réponse:*

Nous pouvons prendre des décisions et les mettre à exécution mais intérieurement elles peuvent ne pas nous engager totalement. Alors nous nous posons encore des questions et nous sentons le besoin d'y revenir sans cesse. Ces décisions ne sont jamais réglées. Dans une relation interpersonnelle, ce fait est affaiblissant et épuisant parce que nous ne sommes pas en paix. Nous accomplissons une double tâche, reprendre les vieilles décisions et faire face aux nouvelles. Ce qui devient un harcèlement continu. Nous perdons confiance en nous-mêmes. Alors, lorsque nous abordons une décision, nous savons que nous prendrons beaucoup de temps pour la faire. Sachant que nous ne serons jamais en paix avec cette décision, nous essayons de l'éviter. Nous fuyons les décisions car elles nous sont devenues pénibles. Nous nous épuisons à force de ne pas mettre de point final.

D'abord nous devons être honnêtes envers nous-mêmes et nous demander: Revenons-nous sans cesse sur nos décisions parce que nous n'avons pas réfléchi suffisamment avant, ou encore, est-ce que nous faisons cet examen une fois la décision prise plutôt qu'avant?

Une autre raison pour ne pas finaliser nos décisions peut venir du fait que l'un de nous deux, tout en étant d'accord extérieurement, ne l'était pas intérieurement, ou encore que ni l'un ni l'autre des deux n'en étaient satisfaits. Rien de surprenant que la décision rebondisse sans cesse sous une forme ou l'autre: « Je te l'avais bien dit. Es-tu vraiment certain? Ne penses-tu pas que nous devrions y revenir, après tout, c'est très sérieux, etc. »

D'autre part, je peux apporter quelque chose comme si c'était un élément nouveau, mais en fait je démontre que je n'ai aucune confiance dans le pouvoir de décision du

*Même nos erreurs ont du bon :
elles nous rapprochent
l'un de l'autre.*

partenaire. J'attaque la confiance qu'il a en lui-même. On ne peut nier que des éléments nouveaux peuvent surgir, mais à un moment donné nous devons laisser une décision en paix.

N'importe quelle décision peut être mauvaise. Rien ne garantit qu'une décision soit automatiquement la bonne. Nous devons examiner ensemble chaque décision et en arriver à un accord commun. Ensuite nous devons vivre avec cette décision, pas dans le sens que nous ne pouvons pas changer d'idée. Mais nous devons éviter de tout réévaluer sans cesse.

## Avez-vous des arrière-pensées en prenant des décisions?

*Votre réponse:*

Nous nous sentons coupables de nous décevoir nous-mêmes dans ce processus de décision. Nous n'osons pas nous avouer tout ce qui nous préoccupe. Nous utilisons des symboles. Trop timide ou nerveux pour aborder tel sujet, j'en aborde un autre semblable mais moins délicat. Nous pouvons prendre une décision à propos de quelque chose mais en pensant à autre chose. Exemple: j'aborde la question de l'argent de poche des enfants, mais au fond, je veux vérifier si tu approuves mes exigences à leur égard. On encore on pose la question: «Où irons-nous ce soir?» alors que la question qu'on a en tête, c'est bien plus: «Allons-nous chez tes amis ou chez les miens?»

Nous ne nous regardons pas vraiment, face à ce qui nous sépare. Nous évitons la question, la vraie question. Nous faisons des suppositions et des interprétations. Nous présumons connaître la position du conjoint sur un problème à partir de ce qu'il dit sur un autre. Parce que le mari veut limiter l'argent de poche des enfants, l'épouse pense qu'il est mécontent de sa manière à elle de dépenser.

L'épouse peut vouloir visiter certains de ses amis et le mari en conclure qu'elle ne veut pas visiter ses amis à lui. Dans une telle situation, le couple a besoin de décider comment les amis de chacun peuvent s'ajuster dans leur vie et lesquels deviendront des amis des deux. A moins d'en arriver à penser et à parler au niveau du couple, ils n'arriveront jamais à s'entendre. Une des manières de résoudre ce genre de problèmes est de se demander quand et pourquoi nous ne vivons ou ne pensons pas à l'unisson. A certains moments, l'autre semble ne rien vouloir ou pouvoir comprendre. Bien sûr, nous pouvons être de mauvaise humeur, ou ne pas exprimer clairement ce que nous voulons dire, mais la plupart du temps, il s'agit d'une arrière-pensée, d'un but caché qui déteint sur l'échange. Alors il faut le dire clairement et en discuter ouvertement.

Rachel et Guy causent ensemble. Guy aborde le sujet des vacances familiales. On est au moins de mars; les vacances ne se prendront qu'en août. Même s'il est tôt, Guy trouve à la fois important et encourageant de penser déjà aux vacances. Mais ce soir, la conversation ne semble mener nulle part.

Guy a l'impression que Rachel est très négative. Chaque fois qu'il propose un endroit pour le voyage en roulotte, elle apporte des objections: au nord, c'est trop froid, au sud c'est trop chaud, à l'ouest c'est trop loin, à l'est c'est du déjà vu! La frustration s'accumule chez Guy de même que l'irritation. Il commence à se demander s'il n'imposera pas tout simplement un itinéraire ou encore s'il ne flanquera pas tout ça là pour le moment.

Quelque chose l'arrête. Il se tourne alors vers Rachel, la regarde bien en face et lui dit d'un ton tout plein d'affection et de délicatesse: « Rachel, qu'est-ce qu'il y a? Je ne te reconnais pas. Qu'est-ce qui se passe? » Et Rachel de répondre: « Je n'ai jamais de vacances, moi! Un voyage en roulotte, ça veut dire plus de travail, c'est tout! » Guy se rend compte qu'il n'y avait jamais pensé et que, dans ses plans, il avait bien peu pensé à Rachel.

Alors, il se mettent à en causer plus longuement et se mettent d'accord pour raccourcir le voyage habituel de façon à se réserver quelques jours à eux tout seuls, quelques jours où ils pourraient sortir ensemble sans qu'elle ait à se soucier des repas ou du ménage.

Parfois un conjoint part une dispute sur un sujet tout simplement parce qu'il a été frustré dans un autre domaine. Il lui a refusé une laveuse à vaisselle; elle lui fait une scène à propos de ses heures de travail supplémentaire. Elle lui a dit non la nuit d'avant; il lui reproche le désordre des enfants. Soyons lucides; attaquer l'autre sur un point sensible, c'est souvent une tactique subtile pour exercer une petite vengeance.

## En prenant des décisions, tenez-vous compte de vos sentiments?

*Votre réponse:*

Les sentiments sont une partie importante de notre vie. Ils devraient entrer en ligne de compte dans toute décision. Un certain montant d'argent est suffisant à Ginette chaque semaine pour les achats d'épicerie, mais elle peut être très angoissée en comptant les sous que Jean doit lui fournir. Ce dernier devrait rendre visite à la mère de Ginette samedi, mais il est tellement tendu et figé qu'il se sentira misérable chez la belle-mère.

En abordant une décision à prendre, nous devons tenir compte de nos sentiments. Sinon, nous pouvons prendre une décision qui, tout en étant raisonnable, ne sera pas la bonne pour nous. Car ce qui se passe en notre intérieur, les sentiments qui sont remués à la pensée d'une décision à prendre, sont un facteur à considérer.

Cela ne veut pas dire que nos décisions seront basées sur les sentiments. Toutefois les sentiments font partie de l'information nécessaire pour en arriver à une décision prudente et intelligente. Nous trouverons parfois très difficile d'être fidèles à une décision justement parce qu'en la prenant, nous n'aurons pas été attentifs à nos sentiments profonds.

Sylvie et Raymond envisagent prendre une décision qui leur demandera d'économiser pendant plusieurs années. Ensuite leur situation financière sera bonne. Par ailleurs, si le souci constant d'économiser leur cause angoisse et frustration, leur mariage en sera peut-être démoli. Ils doivent prévoir quels seront leurs sentiments.

Ce peut être aussi moins sérieux. Il peut arriver simplement que l'un ou l'autre en vienne à être mal à l'aise avec une décision. Il faut alors en parler. En discuter ne veut pas dire qu'on changera la décision. La discussion permettra de trouver les ajustements qui supprimeront le malaise.

Marthe voyait toujours venir avec plaisir les soirées où elle et Gilles allaient veiller ensemble chez leurs amis. Ces rencontres étaient tellement vivantes. Gilles n'était pas toujours en train dans ces veillées. Marthe se rassurait alors en se disant que les hommes sont comme ça. Un soir qu'elle donnait un dernier coup de brosse à sa chevelure tout en chantonnant, voici que Gilles éclate. Elle lui réplique: « Pourquoi vas-tu encore gâter ma soirée? Nous avons une belle occasion de faire une sortie de couple. » « Exactement, lui dit-il, nous ne sommes pas un couple! C'est *ta* soirée, moi je ne suis rien. Je m'ennuie à mourir dans ces veillées. Je ne fais que t'accompagner; je suis le chauffeur; je fais partie du décor. Je n'ai jamais rien à dire; on me dit où nous irons et ce que nous ferons. Comment penses-tu que je me sens? Allons, viens, c'est le temps de partir. »

La soirée ne fut guère agréable ni pour elle ni pour lui. Marthe éprouva d'abord de la colère parce que la soirée avait été gâchée. Au retour, puis le lendemain, elle se mit à réfléchir sur ce que Gilles lui avait dit. Elle commença à comprendre ce qu'il ressentait. A son retour du travail, elle lui dit: « Tu as raison. A l'avenir nous causerons ensemble de ce que cela nous fait, à toi et à moi, de visiter nos familles ou d'aller veiller chez des amis. Non, tu n'es vraiment pas mon chauffeur ou une partie du décor. Je ne te l'ai sans doute pas assez montré, mais je tiens à être avec toi. Merci de m'avoir ouvert les yeux. »

**Vos décisions sont-elles basées sur vos sentiments?**

*Votre réponse:*

Nous avons tendance, la plupart d'entre nous, à prendre

des décisions à partir de ce que nous ressentons. Nous sommes enclins à faire ce qui nous plaît et à fuir ce qui nous répugne. Nous n'arrivons pas à l'admettre cependant mais c'est bien ce que nous faisons. Nous essayons de nous convaincre que nous prenons des décisions à partir de principes valables et d'un sain raisonnement. Mais le stimulus qui nous fait découvrir des raisons n'est-il pas le produit de ce que nous ressentons. Par exemple, je m'ennuie. Alors je trouve toutes sortes de raisons pour m'aider à trouver du travail, pour m'impliquer dans des organisations ou pour obtenir plus d'attention de la part de mon épouse. Je dis que nous avons besoin de plus d'argent, que nous devons aider nos concitoyens ou que nous devons penser davantage au foyer. Ces raisons peuvent être valides et bonnes mais ma vraie motivation c'est que je m'ennuie.

J'ai peut-être un engouement pour un hobby ou pour acheter quelque objet dispendieux. J'élabore donc toutes sortes de raisons pour pousser mon projet. Sans cet engouement cependant, je ne serais pas assez intéressé pour trouver ces raisons. Elles ne me motiveraient pas pour entreprendre le hobby ou payer cher la pièce d'art.

Le problème, quand on prend des décisions à partir des sentiments, c'est que les sentiments changent d'un moment à l'autre, de jour en jour, de semaine en semaine. Mon ennui peut disparaître, mon enthousiasme s'évaporer ou s'intensifier. Si je base mes décisions sur ces sentiments, je suis sur le sable mouvant.

Les valeurs solides, le bon raisonnement, les principes de base durent. Si nous basons nos décisions sur eux, elles seront consistantes. Nous savons où nous en sommes. Au contraire avec nos décisions à base de sentiments, nous ne savons jamais où nous sommes nous-mêmes ou vis-à-vis l'un de l'autre.

Il n'y a pas de contradiction ici avec ce que nous avons dit plus haut. Nous devons connaître nos sentiments quand nous prenons une décision mais ils ne doivent pas en être le facteur déterminant. S'ils le sont, nous changerons nos décisions constamment selon nos humeurs.

Il est facile d'être gentil l'un pour l'autre quand on se sent bien gentil soi-même. Il est facile d'être distant ou indifférent quand on ne se sent ni chaleureux ni enthousiaste. Notre relation interpersonnelle est souvent basée sur les sentiments qui sont pour le moins des guides peu sûrs. Quand nous ne nous sentons pas en train, nous trouvons bien des raisons pour expliquer que nous sommes désagréables et bien de ces raisons sont des blâmes envers l'autre. Quand nous sommes de bonne humeur et gentils l'un envers l'autre, nous ne cherchons pas d'explications. Qui a besoin de raisons pour se sentir bien?

Si nous sommes sous une forte pression d'enthousiasme, d'insécurité ou autre sentiment, nous ferons bien de retarder une prise de décision et d'attendre d'avoir repris le contrôle de nous-mêmes pour être capables de faire une décision avec notre tête plutôt qu'avec nos tripes.

Il est utile d'analyser nos anciennes décisions pour évaluer quelle part y ont joué les sentiments. Quand nous verrons ce qui a fonctionné et ce qui n'a pas réussi, nous pourrons prendre de meilleures décisions.

De plus nous devons échanger sur nos sentiments. Si je reconnais que mes sentiments jouent un rôle important dans mes décisions, mon conjoint en devient conscient aussi. Il peut m'aider à être plus franc avec moi-même. Ce sera quelque chose de merveilleux pour l'époux et l'épouse. Ils pourront s'aider à surmonter l'illusion qui est peut-être leur lot. Ce serait une erreur considérable de penser que nous pouvons vaincre nos illusions par nous-mêmes surtout dans la sphère des sentiments. Nous sommes tellement habitués de prendre des décisions selon nos sentiments qu'il est difficile de voir quand cela se produit.

Ensemble les couples peuvent s'entraider dans ce domaine et ainsi établir une base solide pour faire des choix.

**Jugez-vous qu'il est important pour vous de prendre des décisions comme couple?**

*Votre réponse:*

Toute la question de prise de décision ne se ramène pas simplement à savoir si le couple prend de bonnes décisions et en obtient de bons résultats. S'ils ne prennent pas ces décisions comme couple, ils pourraient aussi bien ne pas être mariés.

Le mariage est un état de vie né d'une décision prise de nous engager l'un envers l'autre et de vivre cet engagement jour après jour. Si les décisions sont prises par deux individus qui vivent ensemble parce que cela satisfait certains de leurs intérêts, où est le mariage? Vivant ainsi à la manière de chambreurs, nombre de gens mariés éprouvent insatisfaction et isolement, incapables qu'ils sont de réaliser les espoirs et les rêves du jour de leurs noces.

Une décision de couple a comme enjeu la relation entre les deux conjoints. Une vraie décision de couple est celle que l'homme et la femme abordent ensemble, livrant chacun leur point de vue, examinant avec respect les arguments l'un de l'autre et arrivant ensemble à une solution qui révèle leur unité. Ce n'est pas uniquement le point commun d'arrivée qui compte, c'est le climat de partage qui accompagne chaque étape de leur cheminement.

L'objectif d'une décision de couple, ce n'est pas de trouver ce qui est le meilleur pour toi ou pour moi, mais ce qui est le mieux pour nous deux. Évidemment, si je recherche ce qui est le meilleur pour toi, cela aura un effet bénéfique pour notre relation. Si nous prenons une décision de ce qui sera le meilleur pour le couple, logiquement, elle sera la meilleure et pour toi et pour moi.

Dans le mariage, nous sommes deux dans une même chair. Nous ne perdons bien sûr pas notre identité propre; il faut en effet deux « je » pour faire un « nous ». Notre unité de couple est quand même à construire tous les jours et un bon moyen d'affermir cette unité, c'est de prendre ensemble nos décisions. Quand nous oserons l'essayer, nous entreprendrons une aventure qui rendra notre mariage plus emballant que jamais.

# Les
# scènes
## de ménage

*Rien de mieux qu'une
bonne chicane
pour éclaircir le temps !*

3

**Vous vantez-vous**
**de ne jamais vous disputer**
**ou de ne le faire que**
**très rarement?**

*Votre réponse:*

Lorsque des couples causent de leur mariage, ils amènent sur le tapis, généralement d'un ton badin, la question des scènes de ménage. Tout le monde sourit d'un air entendu, chacun supposant que nul n'ignore le phénomène des querelles de ménage. Et, en effet, dans son for intérieur, chacun est convaincu que les conflits sont inévitables dans la vie à deux, que chacun en fait l'expérience, et qu'ils sont en quelque sorte la rançon du mariage.

Et pourtant, dans une réunion, on trouvera probablement un couple qui dira, ou pensera, qu'il fait exception et qu'il ne se querelle pas. Il dira: « Nous étions comme cela, mais maintenant nous en sommes sortis. » Il arrive que des couples basent leur conviction de la réussite de leur mariage sur le fait qu'ils ne se querellent jamais. Ils diront: « En 25 ans de vie commune, nous n'avons pas eu une seule dispute. » Leurs interlocuteurs seront surpris ou incrédules.

Ils penseront que le couple se dispute secrètement, ou accepteront l'affirmation, en croyant que ce couple s'entend bien.

Un instant. Demandons-nous si l'absence de disputes est un gage de réussite d'un mariage. On serait tenté de le penser. Après tout, personne n'aime se disputer. Une querelle nous touche, nous peine et nous marque profondément. Cette peine peut amoindrir la communication entre les époux. Les blessures vives n'existent pas dans une relation calme. Il y a une forte dose de bonté dans un couple qui ne connaît pas la dispute; les conjoints ont appris à se taire et à se maîtriser. Ils évitent ainsi bien des remous.

Tout cela est bien, mais de quel prix paient-ils cette tranquillité? Ils sont maintenant moins engagés l'un envers l'autre. Ils répriment leurs pensées et leurs sentiments. Ils ne sont plus aussi ouverts ni aussi honnêtes l'un envers l'autre. Avec les années, le résultat en est qu'ils trouvent la pilule moins amère, qu'ils n'ont pas besoin de se tenir aussi loin l'un de l'autre et qu'ils s'emportent moins facilement qu'auparavant. Ils ont payé cher leur paix. Ils ont appris à ne pas se laisser dominer par leurs émotions. Voilà qui est mauvais! En réalité, ils investissent davantage qu'ils n'en retirent à maintenir cette attitude. C'est au sacrifice d'une relation profonde qu'ils ont obtenu ce calme apparent. C'est vraiment payer trop cher.

La paix à tout prix est une formule tentante, mais pas une bien bonne idée. Les couples apprennent à ne pas dire des choses pouvant faire tanguer le navire et évitent les sujets explosifs. Leur relation n'est donc pas complète car certains sujets n'y sont abordés que superficiellement ou même évités. Cela implique de la part de chacun une parfaite et constante maîtrise de soi et un contrôle sans relâche. Chacun doit s'entraîner à ne pas observer l'autre de trop très; ils évitent ainsi les problèmes. S'il arrive que quelque chose les inquiète cependant, ils devront se persuader que ce n'est pas important. Un tel comportement suppose une nette séparation des responsabilités de chacun. De cette façon, il auront moins l'occasion de se frotter l'un à l'autre, donc de se heurter. Dans une telle situation, nous pensons davantage à ce que nous ne faisons pas qu'à ce que nous pourrions faire. Se rapprocher de l'autre entraîne le risque de le contrarier ou de se faire mal à soi-même. Mais, tant que nous ne prendrons pas ce risque, nous vivrons dans une situation identique à celle de deux compagnons de chambre qui s'entendent bien, mais qui ne sont pas vraiment concernés l'un par l'autre. L'épreuve exigée pour une profonde révélation peut, à l'occasion, engendrer des frictions pouvant dénégérer en disputes. Seule la non-implication peut permettre d'éviter les querelles pendant un certain temps. Mais dans un couple chacun doit justement être concerné par l'autre.

**Vous vantez-vous de ne pas déclencher de querelle?**       *Votre réponse :*

Dans toute relation mari-femme, il y en a toujours un de plus enclin à déclencher les disputes. L'un des époux est plus susceptible de s'enflammer, l'autre restant plus placide, au moins jusqu'à ce qu'il soit acculé à réagir. La personnalité de chacun ou le choix du sujet peuvent décider du meneur de jeu.

En vertu de la mentalité qui veut que l'absence ou la rareté de querelles prouve la réussite d'un mariage, l'époux qui ne provoque pas de dispute a tendance à se considérer comme vertueux. Il fait valoir qu'il n'est pas à blâmer, quelle que puisse être sa virulence dans l'attaque une fois la dispute engagée. Il se donne le mérite d'avoir su aplanir les tensions pendant toute la période où il n'y a pas eu de conflit et ne témoigne que du mépris à l'égard de l'autre qui ne sait pas se maîtriser. Il considère son conjoint comme trop inconstant, trop émotif, trop facilement irritable ou trop sensible.

Mais les choses ne sont pas aussi simples. Je dois me livrer à un auto-examen honnête pour découvrir pourquoi je ne prends jamais l'initiative d'une querelle. Peut-être est-ce pour une raison négative. Je ne me sens peut-être pas tellement concerné par ce qui arrive. Cela ne me touche pas vraiment car je ne me sens pas directement visé. Mes enfants, mon travail ou mes arbustes m'intéressent davantage, et je considère le reste d'une façon globale, sans m'y attarder.

Mais mon conjoint se demande peut-être ce qui se passe en moi, et le seul moyen dont il dispose pour connaître ce qui se passe en moi est de déclencher une discussion. Ce n'est que lorsque je me sens vraiment et inéluctablement attaqué que je dis ce que j'ai sur le cœur et que je me révèle. J'ai peut-être réussi à me forger un masque qui donne l'illusion que je suis maître de moi-même, calme et réfléchi, à tel point que seul un argument-massue peut m'ébranler.

Une querelle est peut-être aussi la seule façon de m'amener à écouter. Je peux, en effet, être joyeusement volubile et philosopher gaiement, sans jamais donner l'occasion à mon conjoint de faire valoir son point de vue. Seule une explosion peut m'arrêter. Cela est pénible pour l'un et l'autre, mais à travers nos années de vie commune nous avons peut-être constaté que c'est le seul moyen qui réussisse.

Peut-être aussi suis-je le genre de personne vivant comme dans un rêve, croyant que tout est pour le mieux dans le meilleur des mondes. Je n'ai pas beaucoup de sensibilité ni de finesse de perception. Le seul moyen de me faire prendre conscience que tout n'est pas parfait entre nous est de crier. En d'autres termes, je suis peut-être un peu dur d'oreille lorsqu'on me révèle la pauvreté de notre relation interpersonnelle. C'est pourquoi, pour avoir droit à une part dans ma vie, l'être que je chéris doit provoquer une querelle!

**Provoquez-vous des querelles, même si vous ne les commencez pas?**

*Votre réponse:*

Les querelles ne débutent pas avec le premier mot de colère. Elles sont déclenchées par l'atmosphère créée par une certaine situation. Une loupe placée au-dessus d'un tas de paille alors que l'intensité solaire est la plus forte, fera que, tôt ou tard, cette paille s'embrasera. Le feu ne sera pas dû à la loupe, mais aux conditions existantes. Ainsi, une personne qui semble déclencher une querelle n'en n'est pas forcément responsable. C'est son partenaire qui peut avoir créé l'atmosphère rendant une dispute inévitable. Lorsque la première explose, l'autre peut rester en retrait comme une victime. Par exemple, une femme peut éclater alors que son mari a gardé un mutisme ininterrompu pendant toute la soirée. De même qu'un homme qui a désespément essayé de remplir sa feuille d'impôt alors que sa femme l'interrompait constamment, peut finalement sortir de ses gonds.

Il y a de nombreuses façons de déclencher une scène de ménage. Nous faisons des choses qui, nous le savons, déplaisent à l'autre. Nous abordons une question délicate; nous entrons dans un sujet important à un mauvais moment. Nous fatiguons l'autre par d'incessantes demandes ou trente-six petites plaintes. Nous faisons comprendre à l'autre que nous lui en voulons, mais refusons d'en parler. Nous nous cantonnons dans notre propre domaine en ne faisant que ce qui nous intéresse et en ignorant l'autre. Pour nous rejoindre, le partenaire ne peut donc faire autrement que de provoquer une scène.

Un des moyens les plus efficaces de déclencher une querelle est de jouer au «martyr», faisant connaître à l'autre, d'une manière plus ou moins subtile, tout le poids que nous portons sur nos épaules, les sacrifices auxquels nous consentons et combien nous avons de mérite. Cette attitude de martyr est parfois un moyen de crucifier le conjoint.

Une autre manière de déclencher une dispute est d'oublier délibérément de petites choses qui sont importantes pour l'autre. Nous semblons incapables de penser à faire ce qui lui ferait plaisir. Il peut s'agir de choses aussi simples que de porter un costume chez le nettoyeur, de repriser une paire de chaussettes, d'expédier quelques lettres ou d'acheter du lait, mais leur oubli répété crée une tension.

Un autre déclencheur de querelles: « Je te l'avais bien dit. » Ces mots n'ont même pas besoin d'être exprimés ou formulés de cette façon: un simple sourire entendu sur votre visage alors que l'autre vient de voir une de ses décisions tourner court suffit à le mettre hors de lui.

A cela peut encore s'ajouter le fait que je peux traiter mon conjoint d'une façon condescendante. Cela n'est pas forcément mal intentionné, mais je donne l'impression de le traiter comme un enfant. Je veille constamment sur lui, lui évitant de faire des fautes ou le protégeant des mauvaises intentions des autres. Une attitude de supériorité est à coup sûr un excellent moyen de faire bouillir l'autre!

**Vous querellez-vous
toujours à propos des
mêmes choses?**    *Votre réponse:*


Dans la plupart des ménages, les querelles ont tendance à se dérouler sur les mêmes thèmes. Nous nous disputons et re-disputons à propos des mêmes choses. Celles-ci ne sont pas nécessairement d'une grande importance. Elles peuvent être aussi simples que l'heure des repas, une émission à la télévision, ou le choix de l'endroit où l'on passera la soirée. Elles peuvent aussi être plus graves comme le genre de nos relations avec la belle-famille ou le choix de nos amis. Si nous les prenons séparément, ces thèmes peuvent nous en dire beaucoup. En les examinant, nous pouvons aller un peu plus profond et chercher la cause réelle du désaccord. Nous découvrirons peut-être quelques-unes des facettes de notre propre personnalité et de notre relation l'un avec l'autre qui sont à l'origine de nos discordes. Car ce n'est pas le sujet à proprement parler qui en est la cause, mais le manque de compréhension et d'appréciation mutuelles.

Ce n'est pas le sujet qui est explosif: c'est nous quand nous l'abordons! Voilà une différence appréciable. Nous pouvons facilement nous abuser en disant qu'il est compréhensible de s'emporter au sujet de la belle-mère ou à propos des repas brûlés, ou des comptes qui ne balancent pas. Mais les ménages ne s'emportent pas tous sur ces questions, même si elles se présentent plus fréquemment chez eux que chez nous. Mais chaque couple a ses propres points de discorde. Celle-ci provient du manque d'appréciation mutuelle et d'un non-désir de communication dans les domaines où nous sommes particulièrement sensibles.

Nous y voilà! La mésentente est due à notre sensibilité, non à la belle-mère! Le sujet lui-même est secondaire. Ce n'est pas le livre de comptes mal équilibrés qui importe, mais le fait que je tienne à des comptes équilibrés et, comme tu ne fais pas en sorte qu'ils tombent juste, j'en déduis que tu ne tiens pas à moi. Je dois me mettre en quatre pour les remettre d'aplomb. Si j'avais quelque importance pour toi, tu ferais un effort pour les faire balancer. Ou bien, si tu m'aimais vraiment, tu aimerais ma mère; tu comprendrais pourquoi il est important pour moi de la voir ou de lui parler au téléphone.

Ce n'est donc pas au sujet de la dispute que nous devons faire face, mais à la susceptibilité de l'autre. Je dois découvrir ce que tu veux me faire comprendre à travers ce que tu dis. Je dois répondre à ton besoin d'attention, de compréhension ou de réconciliation. Nous nous en prenons trop souvent au sujet, chacun essayant de prouver à l'autre qu'il a tort. Mais le fait de savoir qui a tort ou raison ne change rien au problème.

C'est à moi de découvrir ce qui te contrarie dans mes remarques sur ta mère ou le livre de comptes. Je devrais le faire, non pas dans l'intention de te faire la leçon, mais pour augmenter ma compréhention et ma tendresse à ton égard.

Maris et femmes peuvent être en désaccord pendant des années à propos d'une même question sans jamais y trouver de solution. Le problème ne réside cependant pas dans la question elle-même ou dans la position que l'un ou l'autre a prise à son sujet; il se trouve dans leur manque de communication. Ils ne sont pas intéressés à communiquer. Chacun veut suivre son idée. Ils veulent que l'autre écoute, mais ne sont pas prêts à écouter eux-mêmes. Mon problème est que sur certains sujets je suis sûr de gagner et de l'emporter sur toi. Je réussirai à prouver que j'ai raison. Je t'ignore. Mais je devrais plutôt me concentrer sur toi et sur nous deux.

**Qu'est-ce qui déclenche vos querelles?**

Il est facile d'imputer une querelle à quelque chose que l'autre a fait ou dit ou à quelque chose qu'il n'a pas fait. Je vois très bien ta responsabilité dans nos conflits, mais non la mienne. Je considère d'ailleurs ma réaction comme inévitable et mineure. Je ne fais que me défendre; je réagis contre une demande inacceptable; je suis poussé à bout; je fais tout simplement ce que tout être raisonnable ferait en pareilles circonstances. A m'entendre, je serais l'innocence même.

Chacun de nous envisage certains thèmes d'une façon immuable et c'est à cette attitude que se résume tout le conflit. Nous entamons la conversation persuadés que nous l'emporterons. Cependant, aussi longtemps que nous considérerons nos positions comme inattaquables, nous ne pourrons même pas aborder le thème proprement dit.

Ce qu'il faut alors, c'est de commencer par parler de notre « obstination » et des raisons de notre refus de changer. Nous devrons aussi considérer ce qui arrive dans notre relation et la façon dont nous pourrions la clarifier. Cela ne veut pas dire que je doive renoncer à mon point de vue, ni que je doive accepter les idées de mon interlocuteur; mais cela signifie que, si je m'en tiens indéfectiblement à ma position, je ne suis pas en train de discuter, mais de faire une déclaration. Il n'y a alors que deux manières de répondre: contre-attaquer ou dire Amen!

À la source des disputes se trouve aussi parfois un sentiment de solitude ou l'impression de n'être pas apprécié. Ayant peu la notion de ma propre valeur, je suis porté à chercher un souffre-douleur. Je veux t'en faire porter la responsabilité et, pour chasser ce sentiment, je te demande des choses non raisonnables. Je te rends ainsi responsable de mon insatisfaction intérieure ou de mon insécurité. Je te crois insensible car tu n'as pas l'air de remarquer que je

*Une chicane,,, ça s'amorce à propo de tout et de rien...*

suis là et que je souffre. Je me dis que tu ne fais rien pour m'en soulager.

Tout cela se résume à ceci : à la base de tout désaccord on trouve de l'égoïsme — égoïsme bilatéral — sous la forme d'une froideur délibérée envers l'autre, ou d'un égocentrisme exigeant de l'autre qu'il fasse quelque chose pour nous. Nous ne pensons pas l'un à l'autre; je pense simplement à moi et à ce que je retire de notre relation. Les conflits sont toujours centrés sur le « je », jamais sur le « nous ». Ils éclatent parce que *Je* veux quelque chose ou que *Je* ne veux pas te donner quelque chose que tu aimerais avoir.

*Je* ne suis peut-être pas satisfait ou encore *Je* veux que tu changes. De nombreux conflits éclatent parce que nous cherchons à faire de notre conjoint le mari ou la femme que nous voudrions qu'il soit. La raison ? Nous voyons que notre conjoint ne répond pas aux critères que nous avons de la femme ou du mari idéal. Nous commençons donc à ergoter. Nous n'acceptons pas l'être aimé tel qu'il est.

## L'un de vous est-il toujours le perdant?

Tout comme, dans de nombreux ménages, l'initiative d'une querelle semble toujours venir du même partenaire, il semble aussi que l'un des partenaires se retrouve presque toujours perdant à l'issue d'un conflit, et cela est extrêmement frustrant pour lui. L'époux gagnant est peut-être plus habile à défendre et à faire valoir son point de vue. La femme n'est peut-être pas en mesure de réfuter la logique des arguments de son mari. Il démolit toutes ses charges en leur opposant toutes sortes de raisons et d'autres arguments. Ce n'est pas ce qu'elle attend de lui; tout ce qu'elle lui demande c'est de l'attention. Mais le mari, avec sa manie de raisonner, ne lui accorde pas cette attention.

Il se peut aussi que l'un des deux ait une meilleure mémoire. Pour étayer son point de vue, il peut alors faire appel à toutes sortes de circonstances ou d'événements antérieurs. Quelle épreuve pour le conjoint: il ne peut pas rétorquer car il ne se souvient pas du tout de l'événement et encore moins des circonstances qui l'entourent. Il demeure sans réponse et se condamne ainsi sans recours. Il abandonne le combat la tête basse, se sachant vaincu parce qu'il ne possède pas l'adresse de son adversaire.

Situation embarrassante dans un ménage que celle où les deux conjoints savent, avant même d'engager la bataille, qui en sortira vainqueur! Ils passent par toutes les étapes parfaitement conscients que l'un d'eux seulement en souffrira. Celui qui est sûr d'avance de gagner domine la situation et joue en quelque sorte le rôle d'un instructeur. Tout se passe comme lors d'un match de lutte truqué: le vainqueur est choisi d'avance. Il n'y a donc pas d'égalité. Celui qui est toujours perdant sent son rôle amoindri au sein du couple. Il sait qu'en fin de compte on lui démontrera qu'il a tort. Cela le décourage. Alors il se replie de plus en plus et cherche la paix à tout prix, ou encore il devient insupportable pour faire mal à l'autre. Il cherche tout simplement un moyen de faire entrer un semblant d'égalité dans les rapports du couple.

Un autre élément regrettable pour l'éternel vainqueur est qu'il n'a jamais à faire face à la situation ainsi créée. Sa façon d'agir lui permet simplement de gagner, mais il n'apporte rien de profitable à la relation du couple. Quand il s'agit d'un combat unilatéral, il y a un manque déplorable dans la connaissance réciproque. Si le gagnant est toujours le même, la relation n'est pas équilibrée.

**Vous faites-vous**
**délibérément**
**de la peine?**

*Votre réponse:*

Dans une relation conjugale, le plus mauvais n'est pas nécessairement le fait de se quereller. Une dispute implique de la souffrance, c'est vrai, mais ce genre de souffrance est parfois préférable à la blessure causée par l'isolement ou la solitude qui peuvent survenir par suite de l'absence de conflit. Une bonne querelle peut être plus bénéfique qu'un fossé entre deux êtres qui rend leur vie insipide et morne.

Il n'en demeure pas moins que notre plus grave erreur lors d'un conflit est de chercher à blesser l'autre. Le vieil adage selon lequel «on ne fait de mal qu'à l'être aimé» est exact, car seul l'être aimé nous permet de l'approcher assez intimement pour découvrir ses points faibles et particulièrement sensibles. Il faut faire preuve d'une certaine bassesse pour attaquer l'autre sur ses cordes les plus sensibles. C'est comme saisir le bras d'une personne et le serrer à un endroit blessé en sachant qu'il est précisément douloureux à cet endroit.

Pourquoi agissons-nous ainsi? Parce que nous souffrons et que nous voulons rendre la pareille. Il y a un certain esprit de vengeance. « Je veux te faire mal car tu m'as fait mal », disons-nous.

Même en nous disputant, nous ne devons pas oublier que nous sommes mariés. Nous nous aimons encore. Même si, en ce moment, tu ne me plais pas beaucoup, je ne peux pas détruire ce que, au fond de moi, je ne demande qu'à choyer et espère pouvoir choyer à nouveau bientôt. Si j'offense ma femme, je me fais mal à moi-même. Si je blesse délibérément mon mari, je m'atteins moi-même. Je l'ai diminué à ses yeux comme aux miens. Il lui sera donc plus difficile de se retrouver entièrement lui-même avec moi, même lorsque nous serons réconciliés.

Nous avons tous en nous une pointe de mesquinerie ou de bassesse. Instinctivement, nous tendons donc à viser le point sensible de notre adversaire. Nous ne devons cependant pas perdre de vue le dénouement et nous contrôler pour éviter les attaques personnelles. Si nous discutons du choix de nos amis, je ne dois pas m'en prendre à ton motif pour préférer tel ami à tel autre. Je ne dois pas non plus décrire les traits de caractère de cet ami d'une façon systématiquement négative, ni l'affubler de noms offensants.

Il nous arrive, lors d'une querelle, de nous dire des choses qu'il ne nous viendrait jamais à l'esprit de dire à qui que ce soit. Personne ne le supporterait! Mais nous le faisons entre nous, en partie à cause du sentiment de sécurité que nous avons l'un dans l'autre. Nous disons : « Il, ou elle, doit l'accepter parce que nous sommes mariés. » Mais c'est précisément parce que nous sommes mariés que nous ne devrions pas en arriver là. Pourquoi pensons-nous qu'il est moins grave de blesser intentionnellement son conjoint qu'un ami? A vrai dire, c'est le contraire qui est exact. Il est plus facile à quelqu'un qui ne partage pas mon toit d'oublier mes paroles cinglantes que ce ne l'est pour quelqu'un qui cohabite avec moi.

Il est également dangereusement exact que, si nous répétons assez souvent de telles choses, notre conjoint finira par les croire. Il sera porté à devenir tel que nous l'aurons dénigré dans nos attaques blessantes. Nous disons qu'il est un fainéant et elle, une commère. Tôt ou tard ces prophéties se réaliseront d'elles-mêmes.

**Quels sont les bons côtés de vos querelles?**  *Votre réponse:*

Une des bonnes choses dans une dispute est qu'elle assainit l'atmosphère. L'abcès qui se développait chez l'un ou l'autre ou chez nous deux, et qui nous éloignait l'un de l'autre, est enfin crevé. Prendre conscience et parler franchement de ce qui a causé notre mésentente est certainement un élément positif. Une fois débarrassés du malentendu, nous pouvons à nouveau nous faire face. Nous ne pensons plus à ce que l'autre fait ou ne fait pas, ni à ce que nous ressentons. Notre relation renaît. Nous repartons à zéro dans un environnement transformé et avec un nouveau bail sur la vie.

Gaétan est un bon vivant. Son humeur égale est l'une des choses qui ont le plus séduit sa femme Lucette; mais parfois cette égalité d'humeur la met hors d'elle même. Elle ne sait plus où elle en est avec lui. Parfois, elle ne découvre que quelques semaines plus tard que Gaétan a été contrarié.

Un jour, Gaétan éclata: «Lucette, n'es-tu jamais à bout de souffle? J'ai essayé de te faire part de ma nouvelle affectation au travail; cela me rend nerveux et j'aurais voulu en parler avec toi. Mais tu n'arrêtes pas! Pas moyen de placer un mot! C'est *bla bla bla* sans arrêt. C'est comme si j'avais épousé un moulin à paroles.»

Lucette n'en revint pas et rétorqua: «Ainsi, tu es décidé à parler et tu t'attends à ce que je le devine? Ai-je la faculté de déchiffrer les pensées?» Et tous deux se laissèrent emporter par le feu de la discussion pendant un certain temps, puis se calmèrent. La frustration de Gaétan était étalée au grand jour. Lucette reconnut qu'à l'avenir elle devrait être plus attentive car, si Gaétan se taisait, cela ne signifiait pas forcément qu'il n'avait rien à dire !

Une querelle peut nous révéler comment nous fonctionnons dans la vie courante. Chacun de nous espère une foule de choses, mais il n'en parle pas. L'autre est censé deviner ce qui nous tient à cœur. Sans nous en rendre compte, nous lui attribuons le pouvoir magique de lire nos pensées. Une querelle nous apprend, au moins pour un temps, à nous ouvrir davantage, à parler avant que les choses ne tournent au drame.

La réconciliation qui suit une dispute comporte aussi un élément positif pour un couple. Elle apporte le réconfort; elle augmente l'estime mutuelle. « Le meilleur moment dans une querelle est celui de la réconciliation. » Cette formule amuse les couples, mais elle comporte une bonne dose de vérité. Elle nous rend plus conscients de l'importance que nous avons l'un pour l'autre, ce qui est extrêmement précieux. Nous nous rendons même compte combien nous avons été stupides de nous être querellés. Si nous nous étions penchés sur le problème dès le début, nous aurions pu éviter cette scène.

**Qu'y a-t-il de mauvais dans vos querelles?**     *Votre réponse:*

Laisser une querelle « inachevée » est probablement ce qu'il y a de pire dans tout ce qui touche aux conflits. Rien de plus terrible qu'une demande d'armistice non scellée par une paix réelle. Le cessez-le-feu n'est que provisoire. Il est en bien mauvaise condition le couple éreinté ou frustré qui n'arrête les hostilités que pour mieux se ré-armer et se réapprovisionner en munitions! Si lutte il y a, elle devrait être menée jusqu'au bout. Si elle reste en suspens, les deux partenaires réalisent — du moins ressentent instinctivement — qu'elle reprendra encore et encore. Qu'il s'agisse d'un certain sujet ou d'un aspect de nos rapports, nous savons que, chaque fois que ces thèmes se présenteront, nous serons en difficulté l'un avec l'autre et que la guerre éclatera sur ce front. Nous devons donc rester dans la bataille, l'amener à terme puis nous retrouver. Car une querelle doit servir à cela: nous retrouver.

La raison qui nous empêche de vider une querelle est que nous restons tous deux sur nos positions, sans vouloir en démordre. Nous exigeons de l'autre une reddition inconditionnelle. Et, naturellement, plus une querelle dure, plus nos positions se durcissent.

Il y a plusieurs moyens de laisser une querelle non vidée. Par accord mutuel: dégoûtés, nous levons tous deux les bras en disant: « Que faire? il n'y a pas de solution. » Nous laissons donc tomber puisque nous ne croyons pas vraiment à un règlement à l'amiable. Nous jurons de ne plus jamais nous laisser embarquer dans une discussion sur le même sujet. Mais, en dépit de toutes nos intentions, le problème refait surface périodiquement.

Pour moi, un autre moyen de ne pas achever une querelle est de fondre en larmes. Non pas que je ne puisse pas, ou ne devrais pas pleurer au cours d'une dispute — ce qui est tout à fait légitime — mais je ne devrais pas me transformer en fontaine! On ne se dispute pas avec une fontaine!

Un autre moyen que j'utilise est de me précipiter hors de la maison, ou de me rendre dignement dans ma chambre pour bouder. Je peux aussi créer une atmosphère si electrifiante que l'autre en est réduit à un silence terrorisé, craignant les effets de ma colère. Nous sommes tous deux prêts pour un calme hostile dans lequel nous évoluerons pendant un certain temps, jusqu'à ce que nous décidions de nous parler à nouveau.

Vivre dans une situation de guerre inachevée équivaut à être marié à une position plutôt qu'à une personne.

La rancune est aussi une terrible erreur dans les chicanes. Et, si le mari et la femme sont tous deux enclins à être rancuniers, c'est très démoralisant. Dans le cas de Murielle et André, seul ce dernier avait du mal à pardonner et à oublier. Il lui fallait des jours pour digérer une querelle. A la suite d'une altercation au cours de laquelle Murielle lui avait dit qu'il manquait de maturité en ce qui concerne les questions d'argent, André resta longtemps à panser ses plaies et à ruminer les paroles blessantes de Murielle. Bien sûr, il ne se rendait pas compte de ses propres paroles vindicatives, mais il les pensait justifiées étant données les circonstances.

Voilà, évidemment, un exemple d'égocentrisme. André oubliait toute la tendresse et toute la sensibilité que Murielle éprouvait pour lui. Il était uniquement axé sur ce qu'on lui faisait, combien on *le* maltraitait et combien on *le* comprenait mal. Il forgeait tout cela dans son esprit et essayait de se convaincre qu'il avait raison. En fait, il ne parlait pas à Murielle, mais à lui-même. C'était une façon de la punir. Il lui faisait implicitement comprendre qu'il lui faudrait un, deux ou cinq jours, avant qu'il puisse oublier ce qu'il considérait comme une injustice.

Puis André rencontra son ami Jacques, un bon midi, et lui raconta ce qui s'était passé avec Murielle. Jacques finit par interrompre ses doléances en disant: « Enfin, André, pourquoi ne te décides-tu pas à mûrir? Murielle doit être une sainte pour te supporter. Tu récrimines sans arrêt. C'est odieux. Ne me dis pas que tu n'y peux rien, ce serait ridicule. Tu te complais dans ta rancune. Décide-toi à donner un répit à Murielle et, au lieu de ressasser continuellement tes malheurs, pense plutôt aux qualités de Murielle et fais-lui-en compliment. »

André ne voulut pas donner à Jacques la satisfaction d'avoir visé si juste, mais, lorsqu'il rentra ce soir-là, il fit un véritable effort pour être gai et féliciter Murielle pour son bon repas et la façon charmante dont elle s'occupait des enfants. La soirée fut agréable et André se sentit libéré d'un grand poids. À vrai dire, il était soulagé d'avoir mis un terme à ses idées noires.

Les meilleurs conflits sont vifs, rapides et vitement

réglés. De tels moments peuvent alors nous apparaître comme une diversion. Nous nous écartons de la voie pour un moment; nous revenons sur les rails et nous roulons à nouveau ensemble, comme un couple. La rancune est comme un cancer dans une relation. A sa façon, c'est une sorte de chantage. Pour te pardonner, j'exige de toi que tu m'implores. Je garde ma rancune tant que je trouve que ta détresse n'est pas suffisante ou que tes excuses ne m'ont pas convaincu.

Je serais tenté d'excuser mon comportement en me basant sur le fait que je suis fait comme cela, que je n'y peux rien et qu'il me faut du temps pour digérer une querelle. Ce n'est pas suffisant. Il faut que je change. Je dois m'obliger à changer. La rancune me fait du tort, elle te fait du tort et envenime nos rapports. Je dois apprendre à combattre ce défaut et à m'en défaire. Le fait de garder rancune prolonge pendant des jours, des semaines, et quelquefois même des mois, une peine qui autrement aurait duré une ou deux heures. Je ne peux pas accepter un tel défaut en moi. Je dois donc prendre des mesures draconiennes pour m'en débarrasser.

Il n'est guère indiqué de compter les points marqués à l'occasion des querelles. Cela fait trop penser à une salle de billards avec son tableau des résultats. Il arrive que dans un couple chacun surveille le score de son comportement avec l'autre. Mais à quoi bon? Avec un tel système, les deux finissent perdants.

Une querelle a du bon quand elle se déroule dans le présent tout chaud. Mais il ne faut pas y mêler le passé: qui était sorti vainqueur de la dernière altercation par exemple, ou combien de fois je l'ai emporté lors d'autres conflits. Tout cela n'a rien à voir avec ce qui se passe présentement. Faire appel à des situations passées revient à tenir rancune. Ce n'est pas seulement à cette querelle-ci que je m'adonne, mais aussi aux cinq dernières. Nous ne devons considérer que le moment présent et non les expériences passées. Alors il nous reste une chance.

## Connaissez-vous le motif de vos querelles?

Dans une relation conjugale, le départ et la fin d'une querelle n'ont pas toujours lieu sur les mêmes rails. Quelque chose m'ennuie et je crois que ce serait une bonne occasion de te mettre sur la défensive et de t'attrapper; alors j'attaque à fond. En réalité je suis préoccupé par quelque chose de plus profond. Et c'est là que réside la cause de l'affrontement. Les petites contrariétés me servent de déclencheur. Comme je n'ai pu arriver à rien avec le véritable motif, je te harcèle avec de petites choses qui n'ont que très peu — sinon rien du tout — à voir avec l'objet principal. Comme je ne veux pas regarder en face ce qui me préoccupe vraiment, j'atteins le cœur du problème par des voies détournées.

Je me plaindrai peut-être au sujet de ta conduite lors de notre visite à un de mes amis la semaine dernière. Mais ce qui me contrarie vraiment c'est que tu n'aimes pas mon ami. Voilà ce que nous devons régler. J'ignore souvent, lorsque j'entame une dispute, quel est le motif profond qui se cache derrière ce que je te reproche. Lorsque nous nous attaquons, nous devons nous poser certaines questions personnelles: « Qu'est-ce que j'ai dans le ventre? Qu'est-ce qui me démange? » « Qu'est-ce que tu as sur le cœur? Qu'est-ce qui t'irrite? » Jouons cartes sur table au lieu de cacher notre jeu.

Quelle tragédie pour un couple s'il laissait le cœur d'un conflit non vidé et surtout s'il ne s'en rendait pas compte. La cause de nombreux conflits réside dans le fait que les couples ignorent le motif réel de leur désaccord. Ils se disputent pour rien. Parce qu'il est resté sans solution, le problème surgira à nouveau sous d'autres formes.

Bernard et Réjeanne ont revécu récemment une de leurs

querelles. La soirée avait débuté par des moments de silence. Puis chacun se mit à faire des remarques ambiguës. Soudain, Bernard poussa une pointe plus directe en lançant: « Chaque fois que tu es ainsi, c'est que tu viens de faire d'importantes dépenses et que tu sais que je vais finir par l'apprendre. » Réjeanne répliqua en demandant à Bernard s'il n'était pas le neveu de Séraphin. Bientôt l'atmosphère s'envenima d'accusations de gaspillage, d'irresponsabilité, d'attachement à l'argent, de mesquinerie. Tout ça, c'était du connu pour eux. Ils avaient l'impression de revoir un mauvais film.

A un moment donné, Réjeanne dut s'absenter quelques instants. Pendant ce laps de temps, elle réalisa que ces attaques ne les menaient nulle part. Quand elle revint, elle dit à Bernard: « Reprenons. J'ai dit un tas de choses que je ne pensais pas. Je le regrette. Tu attaches beaucoup d'importance à l'argent. Pourquoi? Qu'est-ce qui se cache derrière cela? »

Bernard resta comme médusé. Avec un immense effort, il commença à vider son cœur. « C'est sans doute parce que j'ai l'impression que nous n'arriverons jamais à rien. Dès que j'ai une augmentation, tu la considères comme une possibilité de dépenser davantage. J'ai l'impression d'être une machine à sous. Je rapporte un chèque toutes les semaines et c'est ce que tu attends de moi. Je ne dépense rien pour moi et suis tout à fait d'accord là-dessus, mais j'ai des augmentations régulières dont tu sembles contente quelques jours, puis c'est de l'histoire ancienne. Tu me prends pour acquis. Tout ce que je peux réaliser, tu penses qu'il est normal que je le fasse et tu n'y trouves rien d'extraordinaire. Je crois que j'ai, dans ce cas-ci, la même attitude que toi quand tu dis non au lit. Je dis: « Accorde-moi un peu d'attention. Ne me considère pas comme un dû. J'ai un cœur et des sentiments moi aussi. »

Réjeanne voulut se défendre, mais elle sentit que là n'était pas la question. Elle se trouvait devant un grand changement: Bernard lui livrait le fond de sa pensée. En se défendant, elle aurait arrêté ses confidences. Elle choisit alors de l'écouter dire ses besoins. Elle se rendit compte qu'elle n'avait pas réalisé à quelle tension il était soumis.

Elle avait cru qu'il devinait son appréciation pour tout ce qu'il faisait pour elle. Mais elle fut effrayée de constater combien peu souvent elle la lui avait exprimée. « Que puis-je faire, Bernard? » demanda-t-elle.

« Reconnais que je suis pour quelque chose dans la vie aisée que tu mènes et que je compte pour toi et les enfants. J'ai besoin que tu me le dises. »

Voilà le problème étalé au grand jour. Ils pouvaient maintenant y travailler et progresser.

**Faites-vous appel à des tiers quand vous vous querellez?** *Votre réponse:*

Pour te faire adopter mon point de vue dans une discussion, je peux faire appel à des tiers. Par exemple, je te répète ce que mon père pense de toi, ou ce que pensent mes compagnons de travail des femmes qui se conduisent comme toi, ou ce que les femmes du voisinage disent des maris qui « font ça ». Ce sont, évidemment, des manières grossières d'utiliser des tiers.

Nous nous en servons généralement d'une manière beaucoup plus subtile. Je prends conseil d'autrui, puis je viens « défendre mes droits » et « empêcher qu'on me mène par le bout du nez ». Autrui, cela peut être des amis ou l'auteur d'un article sur le mariage. J'envisage notre relation, décidé à te mouler sur le modèle décrit dans les livres. Ou bien, parce que je viens de lire un livre de psychologie sur le mariage, je suis décidé à « conquérir ma liberté » ou « obtenir mon indépendance » ou encore à « maintenir ma dignité ». Au lieu que ce soit moi qui t'étudie, je laisse aux idées et aux jugements des autres le soin de mener nos rapports. Tu te trouves donc en face d'une armée. Je suis appuyé par une pléiade « d'autorités » qui m'ont enseigné quoi dire ou comment agir pour obtenir gain de cause. Lorsque nous nous affrontons, je le fais avec toutes sortes de personnages invisibles. Mon esprit est prêt. Je vais gagner.

Une des raisons pour lesquelles je me refuse à toute ouverture d'esprit, c'est que je ne veux pas me retrouver comme le perdant devant les gars ou les amies quand je parle avec eux. Le résultat de nos batailles et la tournure de nos rapports sont pourtant de nos affaires, à nous seuls. A quoi bon mêler la préoccupation de ce qu'en penseront les autres. Une femme qui sait qu'elle devra parler de sa dispute à ses amies se montre beaucoup plus obstinée dans un affrontement et plus décidée à l'emporter. Parce que ses compagnons de travail ou ses partenaires de golf l'auront appuyé, un mari entreprendra une discussion avec l'assurance de gagner. Même si un homme ou une femme ne parlent pas de leurs disputes, leur attitude pendant la querelle peut être modifiée par la pensée du jugement de leurs amis. « Que dirait Roland s'il me voyait céder à ma femme ? » « Nicole rirait de moi si elle me voyait plier encore devant mon mari. »

**Quel genre de querelles avez-vous ?**          *Votre réponse :*

Notre conjoint ne réussit peut-être pas à nous atteindre; il doit donc recourir à une altercation pour que nous l'écoutions. La fréquence et l'intensité de nos disputes pourraient peut-être être grandement réduites si nous accordions à notre partenaire un peu plus d'attention et de soin et si nous étions plus réceptifs. Nous sommes peut-être insensibles et ne remarquons l'autre que lorsqu'il explose. Nous aurons peut-être du mal à admettre — voire à nous

C'est stupide de s'être fait mal comme ça... Comment réparer, maintenant?

rendre compte — que nous ne sommes pas assez attentifs; voilà un élément dont nous pouvons parler l'un avec l'autre. Pourquoi nous disputons-nous? Nous nous apercevrons peut-être que nos querelles sont, en grande partie, dues au fait que nous ne savons pas écouter. L'écoute attentive est le médicament préventif par excellence contre la chicane.

La durée de nos querelles peut en dire long sur nos rapports. Il y a des querelles qui s'éternisent. Elles ne sont pas nécessairement violentes. Nous prenons une attitude de froideur calme ou même de politesse affectée. Nous faisons sentir à l'autre qu'il n'a pas su regagner toute notre faveur. Dans cet état de guerre froide nous vivons sans doute ensemble, mais non pas l'un avec l'autre ni l'un pour l'autre.

Garder le silence, couper la communication, est une grave erreur. En réalité un couple s'invective dans son silence. Le langage de leur corps et de leur visage révèle clairement où les partenaires en sont. Le problème n'est pas dû au manque de communication, mais à la nature de celle-ci et au message ainsi émis.

**Pouvez-vous vous mettre à la place de l'autre lorsque vous vous querellez?**

*Votre réponse:*

Lors d'un affrontement, nous sommes centrés sur nous-mêmes. Je suis préoccupé par ce qui se passe en moi, de savoir quelle est ma position et comment la faire triompher, de voir comment tu me traites et de savoir si tu écoutes ce que je dis. Je ne me préoccupe pas de savoir comment je peux te rejoindre, ni comment tu me vois, ni si je t'écoute vraiment.

Un couple qui se dispute ferait bien de faire une courte pause. Pas dans le but de regrouper ses forces et de se réapprovisionner en invectives, mais pour prendre la peine de se regarder et de voir ce qui lui arrive, de penser au ton de leur voix, à leurs motivations et à leur attitude réciproque à ce moment. Ils peuvent se mettre devant un miroir et répéter leurs dernières accusations avec le même timbre de voix et la même expression sur leur visage qu'au moment précédent. Chacun sera alors mieux à même de comprendre l'indignation et la colère de l'autre.

Nous pouvons aussi nous demander: « Si je voyais les choses de son point de vue, trouverais-je important de faire telle ou telle chose? » Si nous pouvions quitter un tant soit peu notre optique et voir les choses avec les yeux de l'autre, cela nous aiderait peut-être à être plus raisonnable, plus compréhensif, plus chaleureux et plus tendre.

Cela nous aiderait aussi à donner un autre dimension aux choses. Lorsque nous entamons une dispute parce que nous avons été blessé, nous suivons nos émotions en voulant remettre l'autre à sa place. Sa bonté ou son mérite ne compte pas alors. Tout ce que nous voyons, c'est le mal qu'il nous a fait, ses fautes, ses défauts. Nous devons revenir en arrière et nous examiner pour découvrir ce qui, dans notre conduite, occasionne des heurts et voir comment nous pouvons changer.

Une des pires erreurs que nous puissions commettre dans toute relation humaine, mais particulièrement dans le mariage, est de vouloir changer l'autre. C'est là, en effet, la source de bien des conflits qui, une fois éclatés, peuvent s'amplifier à cause de cette attitude. Nous devons donc prendre la résolution de ne pas essayer de nous changer réciproquement, et d'en prendre conscience dès que nous essayons de le faire. Une bonne pause, pour faire le point en nous, nous aidera certainement dans cette recherche.

**Comment**        *Votre réponse:*
**vous réconciliez-vous?**

Chaque couple possède un style propre, ou des signes avant-coureurs de l'accalmie toute proche et de son désir de renouer. Cela peut être un ralentissement dans le débit ou un adoucissement de la voix. Cela peut être aussi une détente des muscles, surtout faciaux; ou bien une reconnaissance officielle de la victoire de l'autre; cela peut être encore une main tendue en guise d'appel, un appel clair à la paix plutôt qu'à la bataille. Cela peut être enfin un honnête et sincère « Je le regrette ».

Peu importe le moyen que nous utilisons, ce qui est vital, aussi bien pour le mari que pour la femme, c'est d'en venir à la décision de se raccommoder. Une querelle ne se termine jamais par hasard, ni parce que l'une des parties à convaincu l'autre entièrement. Elle se termine seulement quand les deux époux ont décidé de s'unir à nouveau et d'oublier ce qui vient de se passer.

Que nous la prenions presque au début d'un conflit ou seulement après un certain temps d'affrontement, cette décision n'est jamais facile. Aucune formule magique ne peut me faire arrêter la dispute. Rien de ce que tu peux dire ne me fera changer d'avis. Je dois réellement me secouer et décider si je préfère l'emporter, ou t'aimer et être aimé. Voilà la question fondamentale. Nous entamons une querelle pour obtenir quelque chose ou arrêter quelque chose. Nous ne serons décidés à nous réconcilier que lorsque nous nous rendrons compte qu'il est plus important pour nous de vivre en communion l'un avec l'autre que de marcher seul.

Les querelles ne s'envolent pas d'elles-mêmes non plus. Nous devons *nous* préférer à nos positions Le principal obstacle est notre fierté. Nous résistons toujours à ce que nous considérons comme une reddition ou un consentement. Nous devons trouver où nous en sommes et savoir si nous voulons nous en tenir là ou non. Nous sommes, bien sûr, tentés de dire: « Je renoncerai quand tu auras renoncé », ou bien « Je serai gentil quand tu le seras ». Cela ne peut pas marcher de cette façon. Aucun de nous n'a de contrôle sur l'autre; nous ne pouvons pas prendre de décision pour notre conjoint et ses actes ne peuvent pas nous servir d'excuses. Je ne suis responsable que de moi-même et de mes décisions. Je dois décider si je veux me réconcilier ou non, quelle que soit la réponse de l'autre.

Nous avons peut-être pris l'habitude que c'est toujours le même qui est l'instigateur de la paix, celui qui dit « je regrette », l'autre acceptant ses excuses ou sa demande de pardon. L'un de nous est toujours acculé à faire les premiers pas. Cela n'est pas juste dans une relation conjugale. Toute la faute ne doit pas incomber à l'une des parties seulement. Je peux me baser sur le fait qu'il t'est plus facile qu'à moi de dire « je regrette ». Non pas que je ne puisse pas le dire: je ne veux pas le dire. Cela me demanderait un effort surhumain. Je devrai peut-être l'écrire pour n'avoir pas à le dire, mais je devrai trouver un moyen.

Il arrive que ni le mari ni la femme ne dit « je regrette ». Ils arrêtent les hostilités et se remettent ensemble. Cela n'est pas satisfaisant car aucun compte n'est tenu du dommage infligé à la relation. En outre, cela empêche les partenaires de se rétablir l'un l'autre.

À cause de la discussion et du conflit, nous voyons mieux

nos divergences et le fossé s'est élargi entre nous. Il ne suffit donc pas de régler le différend, il faut aussi s'occuper de nous. Nous devons diriger la lumière sur nous et guérir les blessures que nous nous sommes infligées. Il ne suffit pas de marmonner « je regrette ». Nous devons nous interroger un peu plus longuement. Si, pendant la phase de réconciliation, je ne pense qu'à ma générosité dans le pardon, l'esprit même de notre vie de couple m'échappe encore et nous ne sommes pas sur la même longueur d'ondes. Je cache probablement encore quelques parcelles de ressentiment et quelque chose me dit que, la prochaine fois, je dirai telle ou telle chose. Peut-être ai-je mis fin à la dispute parce que j'en avais assez. Il m'est plus pénible de continuer la bagarre que d'abandonner et de renouer avec toi. Je ne tiens pas compte de ce que je t'ai fait ou de ce que tu peux ressentir.

Je ne dois pas me contenter de te rendre présent à mes yeux; je dois encore m'assurer que tu vois combien je tiens à toi et que tu saches toute la compréhension et toute la sensibilité que j'ai pour toi dans mon coeur.

Tout affrontement doit être suivi d'une décision commune des époux de reprendre leur relation. On décide d'offrir ses excuses et on décide de les accepter.

Si nous arrêtons les hostilités et renouons ensemble dans une certaine mesure seulement, si je m'attends à ce que tu violes le cessez-le-feu et reprennes les attaques, ou que tu recommences à agir comme avant, si je n'ai pas entièrement confiance dans les premiers stades de notre nouvelle relation, c'est que je me concentre encore sur moi, où j'en suis et comment je me sens. Il n'y aura pas de véritable réconciliation tant que chacun ne pensera pas à l'autre et n'attachera pas plus d'importance à la peine de l'autre qu'à la sienne.

Quand nous décidons de reformer un couple, nous devons le faire de manière visible pour l'autre, pas uniquement dans le but d'une autosatisfaction. Je ne dois pas, en effet, me contenter de me satisfaire de la même manière que je dis «je regrette». Tu dois pouvoir apprécier ce que je dis et fais. Il ne suffit pas que je dise: « Eh bien, j'aurai essayé. J'ai dit ce qu'il fallait. » Tu as peut-être besoin de sentir la chaleur de ma main sur la tienne. Je ne peux pas dire: « J'ai laissé tomber ma colère et n'ai plus rien dit de désagréable; tu aurais donc dû savoir que j'étais prêt à me réconcilier. » Cela supposerait que tu lises dans mes pensées. A vrai dire, le désir de faire la paix doit être aussi explicitement exprimé que les choses désagréables que nous nous sommes dites pendant la dernière demi-heure ou les trois derniers jours !

*Un tout petit signe de paix, et notre querelle est finie...*

Etant donné qu'une des premières raisons d'une querelle est notre conviction que l'autre ne nous écoute pas et n'entend pas ce qui se passe en nous, nous devons également nous assurer que notre conjoint nous écoute quand nous désirons nous réconcilier. Lui donnons-nous la possibilité d'entendre les paroles tendres que nous lui adressons? Ou les marmonnons-nous rapidement en espérant être entendu? Il est amusant de constater combien nous tenons, durant l'altercation, à ce que l'autre saisisse ce que nous voulons dire et combien nous sommes intransigeants sur sa compréhension de notre point de vue; mais, par après, nous nous sentons comme muets et gênés. Nous sommes moins précis dans nos excuses que dans nos attaques.

Une excuse doit être sincère et clairement exprimée. On ne doit pas la faire parce que l'autre s'y attend. Elle doit nous être dictée par notre cœur. Quand nous la voulons réellement et la portons jusqu'à l'autre, nous redevenons pleinement nous-mêmes.

**Comment pouvons-nous éviter les frictions?**          *Votre réponse:*

Un des meilleurs moyens d'éviter les conflits est de ne rien garder sur le cœur. Dès que je constate un malentendu entre nous ou une froideur apparente, je dois en parler ouvertement avec toi. Souvent je ne le fais pas et ce, pour de bonnes raisons. Je ne veux pas t'ennuyer, ou je pense pouvoir y remédier seul et t'éviter ainsi de la peine. Ou encore, je m'imagine suffisamment adulte maintenant pour ne pas m'attacher à ces petites choses. Je n'aime pas voir que j'éprouve de la contrariété.

Si je ne désire pas sincèrement et honnêtement m'en ouvrir à toi et te faire part de ce que je ressens, je ne peux pas m'attendre à ce que tu ressentes ce qui se passe en moi. Par ailleurs, il est beaucoup plus facile de considérer un problème à ses débuts que lorsqu'il aura pris des proportions gigantesques. De toutes façons, il éclatera tôt ou tard. On peut l'éviter pour un certain temps, mais il se développera en nous et attendra le moment propice pour surgir à nouveau. Il est donc préférable d'en parler dès le début, avant que la colère n'ait aveuglé notre gentillesse et notre compréhension.

Notre expérience passée nous permet de connaître les motifs qui sont le plus souvent à l'origine de nos désaccords et de trouver ainsi où le bât nous blesse. Nous n'en parlons pas pour obtenir de l'autre qu'il change, ni pour lui faire reddition; nous en parlons pour gagner une plus profonde compréhension l'un de l'autre et de ce qui nous est cher. Si nous examinons ensemble chaque sujet épineux en essayant de découvrir ce qu'il cache pour chacun de nous, nous pourrons nous rapprocher et empêcher que le fossé de nos discordes ne s'élargisse entre nous.

Nous nous comprendrons mieux si, au lieu de vouloir résoudre quelque chose, nous essayons de découvrir ce que cache le point de vue de l'autre, ce qui est important pour lui. Le but n'est pas de tenter de nous changer réciproquement, mais d'accroître notre compréhension et connaissance mutuelles. C'est une forme de médecine préventive. Nous voulons éviter le genre de peine et de mal que nous nous sommes infligé par le passé.

Il y a un autre moyen d'éviter les querelles, ou au moins de les espacer. Lorsque nous nous rendons compte que notre relation est tendue, nous avons besoin d'un contact physique. Il m'est très difficile de me sentir loin de toi lorsque nous nous touchons. Il m'est difficile de penser à la distance qui nous sépare lorsque je tiens ta main ou caresse ton visage.

Le contact physique nous fait prendre conscience l'un de l'autre d'une façon particulière. C'est lorsque nous commençons à ignorer la conscience que nous avons l'un de l'autre que la dispute éclate. Si nous pensons davantage l'un à l'autre nous aurons moins de scènes. Et lorsque l'une d'elles éclatera, elle sera moins déchirante. Lorsqu'un différend est proche d'éclater nos mains ont un pouvoir magique. Il nous est difficile, en effet, de nous envoyer un coup, même verbal, lorsque nous nous tenons par la main.

Quand on revoit le passé, comme nos querelles paraissent loin !

# La réconciliation

*Guérir ensemble, à nous deux,
les blessures que l'on s'est faites,
c'est extraordinaire !*

**4**

**Avez-vous déjà peiné votre conjoint?**

*Votre réponse:*

Selon un adage ancien: « On ne fait de mal qu'à ceux qu'on aime. » « Tu ne fais de mal qu'à la personne que tu aimes. » De fait, seuls les proches à qui nous tenons beaucoup peuvent nous peiner. C'est de notre famille, et plus précisément de notre conjoint, que nous viennent les plus profondes blessures. Eux seuls connaissent nos faiblesses, nos points vulnérables. Malheureusement, lorsque deux êtres qui s'aiment s'affrontent, ils sont tentés de porter leur attaque sur ces points faibles.

Personne ne se blesse davantage que deux êtres qui s'aiment. Maintes occasions s'offrent à nous de nous frotter l'un à l'autre et de provoquer ainsi des heurts. Nous attendons, en outre, beaucoup de l'autre. Nous le considérons constamment comme une source de satisfactions multiples. Nous nous attendons à ce qu'il nous comprenne mieux que quiconque. Nous ne demandons pas souvent à d'autres de contribuer à notre bien-être personnel, mais nous l'attendons de notre conjoint. Dans une relation conjugale, nous pouvons être portés à trouver à redire l'un sur l'autre. J'essaie de t'en faire rabattre pour t'amener à céder. Il est intéressant de noter que nous n'agissons pas ainsi avec d'autres; nous les comprenons mieux et désirons préserver leur ego; nous prenons soin de ne pas les acculer au pied du mur pour les obliger à prendre des décisions rapides. Nous affichons plus de respect pour leur personne en veillant davantage à leur dignité qu'à celle de notre conjoint.

Si nous nous livrons à une rétrospective de notre relation, nous constaterons, l'un et l'autre, que nous avons un certain modèle dans la manière de nous faire mal.

La majeure partie des peines que nous infligeons est due à l'égoïsme. Je me demande: « Qu'est-ce que je retire de tout cela? » « Tu ne fais pas attention à moi. » « N'ai-je donc aucun droit ici? » « On n'a aucun respect pour moi. » « Je ne mérite pas d'être mené par le bout du nez comme tu le fais. »

Un des signes avant-coureurs d'un orage imminent est mon impression d'être traité injustement. L'équité n'est pas, à vrai dire, la chose la plus importante dans une relation conjugale. La base du mariage devrait être un don total de la part des deux parties. Si je commence à penser que tu es injuste envers moi, j'envisage le mariage comme un marché, une association à parts égales, plutôt qu'une relation dans laquelle je songe davantage à mon apport qu'à mon gain.

Si je te fais mal, c'est pour te rendre la pareille ou pour t'inciter à changer une habitude que je n'aime pas. Je veux que tu me sois utile. En d'autres termes, je te ferai mal si tu fais quelque chose qui me déplaît. Le mal que je te ferai sera proportionnel à mon insatisfaction. Tout comme le sexe ou l'argent peuvent servir de récompense ou de punition pour te faire marcher droit, je peux de la même façon me servir de la souffrance que j'inflige.

Nous justifions la peine que nous faisons à notre conjoint en nous retranchant derrière la formule: « Le mariage est ainsi fait » ou bien: « Après tout, j'ai eu de la peine moi aussi »; ou encore : « Je suis un être humain, donc susceptible de faire des erreurs ». Nous n'attachons pas trop d'importance à la peine que nous infligeons, mais celle qu'on nous fait nous importe beaucoup. Nous pensons que notre propre peine justifie celle que nous faisons. Qui plus est : si nous nous penchons uniquement sur notre propre peine en n'accordant que peu d'importance à ce que nous avons fait à l'autre, nous ne nous rendons pas compte de sa détresse et la supportons fort bien.

Se faire du mal est un aspect significatif d'une relation conjugale. Les couples doivent apprendre à traiter cet aspect — pas seulement à s'y habituer ou à reconnaître qu'il est inévitable — mais à lui faire face. Ils doivent rechercher ce qui a fait défaut dans leur conduite et les a amenés à se faire mal mutuellement alors qu'il n'en n'avaient nullement l'intention. Ils doivent trouver le moyen d'atténuer leurs facultés destructrices.

Mais nous attendons généralement que le mal soit fait pour lui trouver un remède. Cette façon d'agir n'est pas sage.

Nous savons fort bien que nous ne sommes pas vraiment nous-mêmes quand nous agissons sous l'effet d'un choc. Les expériences passées devraient nous servir de leçons.

Nous ne nous rendons pas toujours compte immédiatement de la peine que nous nous faisons mutuellement. C'est concevable, mais non pas excusable lorsque cela se répète pendant des années. Nous devons apprendre à nous contrôler.

Seul un être cher nous fait vraiment mal.

Récemment, la femme de Pierre, un de mes bons amis, m'a révélé combien son dernier anniversaire fut exceptionnellement merveilleux. Il semble que Pierre était décidé à faire quelque chose de vraiment spécial pour elle. Il avait soigneusement choisi une carte et voulait que Johanne sache tout ce qu'elle représentait pour lui. Voici ce qu'il avait écrit :

Johanne chérie, nous avons célébré de nombreux anniversaires et je t'ai adressé beaucoup de mots d'amour sincères.

Mais je me suis éloigné de toi bien des fois. Je veux être différent cette année.

Je ne peux pas supporter de voir de la peine dans tes yeux, surtout quand j'en suis la cause. Je sais que la façon dont je parle de ta mère te peine. J'avoue qu'il m'arrive de le faire intentionnellement quand je t'en veux. Je me déteste alors.

Cette année, mon cadeau d'anniversaire sera donc ma promesse de parler gentiment de ta mère et de louer ses qualités. Ce cadeau me coûte bien plus que tous ceux que j'ai pu te faire jusqu'ici, mais je t'aime tant, que je me suis décidé à ne plus jamais te faire de peine de cette façon.

Avec tout mon amour,

Pierre

La réconciliation entre mari et femme est une expérience magnifique, une réalité merveilleuse. C'est cependant une situation de rattrapage. Si la réconciliation est nécessaire, c'est que les dommages ont été sérieux. Le fait que la réconciliation signifie beaucoup pour nous n'est pas une excuse pour nous battre. Nous devons essayer de réduire le nombre de nos affrontements. L'être humain est conçu de telle sorte que, malgré tous nos efforts et toute notre bonne volonté, nous continuerons de nous affronter à cause de notre égoïsme et de notre indifférence. Mais nous ne le voulons pas vraiment, n'est-ce pas?

Après tout, notre seule ambition, lorsque nous nous sommes rencontrés pour la première fois, puis mariés, était de nous donner réciproquement joie et bonheur. En nous faisant de la peine, nous faisons tout le contraire. Donc, si nous sommes sincères en affirmant que nous nous aimons, nous devons absolument nous engager à essayer, ensemble, de réduire nos malentendus, aussi bien en nombre qu'en intensité. Et cela n'est possible que dans une situation de franche ouverture. Nous devons découvrir ce qui fait mal à l'autre. Trop souvent, et ce, même après plusieurs années de vie commune, nous ne connaissons pas les points faibles de l'autre; nous n'y attachons pas assez d'importance et nous ne nous rendons pas compte combien certaines paroles ou actions peuvent être blessantes. Si nous tenons à l'autre, nous les découvrirons. Nous pourrons alors faire en sorte de les éviter.

Lorsque nous avons mal, nous pouvons exprimer ce que nous ressentons; notre bien-aimé(e) aura ainsi une idée de ce qui se passe en nous.

Puis, nous pouvons partager nos expériences vécues de réconciliation. Ceci nous aidera à être bons l'un pour l'autre, chacun portant une attention particulière à la personne plutôt qu'aux sujets de conversation. Grâce à cette attention, la blessure aura été moins profonde, ou n'aura pas existé du tout. En se parlant ainsi de ses blessures on découvre ses bonnes habitudes et on les développe davantage.

Nous devrons également parler de ce qui fait notre insouciance et notre indifférence.

Ensemble, nous pourrons prendre l'engagement de lutter contre la chicane en la combattant en tant que couple. Usant de tous les moyens dont nous disposons, nous ferons un effort extraordinaire pour vaincre ce cancer que sont les chicanes de ménage et que nous traînons depuis des années. Nous ferons tout en notre pouvoir pour créer entre nous compréhension et ouverture. De cette façon, nous aurons tellement de sollicitude l'un pour l'autre que la possibilité de blesser notre conjoint ne nous effleurera même pas.

## Vous arrive-t-il souvent de vous réconcilier?

*Votre réponse:*

Si nos réconciliations sont fréquentes, cela signifie qu'il y a une bonne dose de malentendus entre nous. Une guérison n'est pas une bagatelle ni quelque chose de facile; elle n'est pas toujours totale non plus. C'est une merveilleuse et remarquable expérience et, tout comme on parle de miracle dans le cas de certaines guérisons physiques, la guérison du cœur n'est pas ordinaire ni quotidienne.

Selon toute probabilité, nos expériences de réconciliation nous apparaissent comme de brillantes étoiles dans notre ciel. Il est bon de se remémorer ces moments. Rien, en effet, n'est plus rafraîchissant, rien d'autre ne peut me donner un tel élan vers toi, que ces moments où tu me fais renaître et me tires des abîmes de la détresse.

Merveilleux moment que celui de la réconciliation où nous pansons ensemble les blessures que nous nous sommes faites. Il ne faut pas oublier trop vite ces instants. Il est même bon de les faire revivre en moi pour avoir le goût de connaître d'autres expériences semblables.

Si je ne me souviens d'aucune réconciliation de façon spécifique, je peux penser que je ne t'ai jamais vraiment fait de peine. Nous pouvons alors invoquer, qu'en raison de notre insensibilité, nous ignorons les besoins de l'autre; ou bien nous essayons de nous réconforter nous-mêmes, sans l'aide de l'autre. Ces deux attitudes sont aussi mauvaises l'une que l'autre.

Dans le premier cas, le fait de nous tenir éloignés l'un de l'autre nous a rendus insensibles. Nous nous sommes délibérément fermés l'un à l'autre.

Dans le second cas, nous avons également ignoré notre relation. Nous ne voulons pas que l'autre nous prenne en main. Je ne veux pas dépendre de toi pour ma guérison. Mais cela ne marche pas. Je peux me disposer à être soigné, mais je ne peux pas véritablement accomplir ma propre guérison. J'ai besoin de toi et de notre relation.

**Vous réconciliez-vous**     *Votre réponse :*
**vraiment ou faites-vous**
**seulement du rafistolage?**

Parfois, nous essayons de laisser le temps faire son œuvre; nous voulons oublier le passé et une situation douloureuse ou, du moins, laisser une plaie se cicatriser. Ce rafistolage nous apportera un répit, pas la guérison.

Nous disons même que les choses se rafistolent entre nous. En d'autres termes, cela signifie que nous en sommes arrivés à une entente. Comme nous reconnaissons tous deux qu'aucun de nous cédera, chacun fait une petite concession et s'accommode de celle de l'autre.

C'est une situation de « faire semblant ». Nous nous contentons de ramasser les morceaux et continuons comme si de rien n'était. Et, cependant, si nous nous sommes peinés réciproquement, il s'est passé quelque chose. Le nier serait nous abuser. Un rafistolage vaut évidemment mieux que la poursuite d'une dispute, mais nous devons regarder en face ce que nous devons faire.

Il arrivait à Martine de taquiner Benoît devant les autres à propos de ses rapports avec sa mère. Cela déplaisait fortement à son mari et le fâchait. Voyant combien cela l'affectait, Martine ne se livrait pas souvent à ce jeu, mais parfois c'était plus fort qu'elle. Lorsque cela lui arrivait, elle s'excusait auprès de lui par la suite en pensant que tout était rentré dans l'ordre.

Puis un soir elle réalisa soudain que cette taquinerie touchait Benoît plus profondément qu'elle ne l'avait cru. « Benoît, dit-elle, je m'en veux terriblement. J'ai été affreusement insensible et ne me suis pas préoccupée du tout de tes sentiments. J'étais navrée parce que tu étais fâché, mais cela ne me tracassait pas vraiment. Je me rends compte maintenant de quelle façon atroce je t'ai traité et j'en ai profondément honte. S'il te plaît, pardonne-moi. »

Nous devons nous guérir réciproquement, nous faire face comme personnes et bâtir à nouveau notre unité. Voilà qui va beaucoup plus loin qu'une simple décision de ne plus rester fâché, ni peiné, ni boudeur, ou encore de se retirer en douce de l'affrontement. La guérison appelle la réconciliation. Les époux doivent à nouveau avoir pleine conscience l'un de l'autre et chacun doit tenir compte davantage de la peine de l'autre que de la sienne. Tous deux doivent vouloir supprimer cette peine et pas seulement l'ignorer. Enfin, chacun doit s'assurer que l'autre se sent bien guéri.

**Raccommodez-vous**     *Votre réponse:*
**toujours le même genre**
**de déchirure?**

Lorsqu'une cicatrisation est complète, elle est définitive. Si la plaie s'ouvre à nouveau, et toujours aux mêmes endroits, on peut en déduire qu'il y a un défaut quelque part. Nous devons alors nous arrêter et examiner ce qui se passe en allant vraiment au cœur du problème.

Nous devons nous demander: « Comment se fait-il que l'un de nous soit tellement contrarié par ceci? » « Quelle circonstance, quelle parole ou action causent une telle blessure? » Nous devons demander à l'autre s'il réalise ce qu'il nous fait quand il agit de la sorte. Quelle action commune allons-nous pouvoir entreprendre pour prévenir des blessures semblables?

Nous ne pouvons pas passer notre temps à nous faire mal ainsi et à nous raccommoder; ce serait bien trop pénible et ne rimerait à rien. Nous devons faire en sorte que la même souffrance ne se reproduise plus. Nous ne devons pas nous dire que nous n'y pouvons rien, car nous le pouvons si nous le voulons vraiment. Si nous nous retrouvons toujours au même point, c'est que nous ne sommes pas allés au cœur du problème.

Nous invoquons comme excuse que « ce sont des choses qui arrivent ». Pas du tout : lorsqu'elles « arrivent » toujours et encore, cela signifie que nous devons modifier notre conduite pour qu'elles « n'arrivent » plus.

**Quelle différence y a-t-il entre «pardonne-moi» et «je regrette»?**

*Votre réponse :*

Ces deux expressions semblent claires et simples. Nous les employons l'une pour l'autre, disant indistinctement : « Pardonne-moi, veux-tu ? » ou bien « Je regrette ce que j'ai fait ». Les verbes « pardonner » et « regretter » expriment pourtant des notions bien différentes. Mais, depuis que nous avons réduit ces deux termes au sens de « être désolé », nous avons éliminé de notre vie de couple une grande richesse et une grande signification.

Quand je dis « Je regrette », je veux dire que je reconnais que ce que j'ai fait est mal. En tant que mari, ou femme, je n'aurais pas dû agir de cette façon. Je veux retirer ce que j'ai fait et effacer ce que j'ai dit. La seule chose qui me reste à faire en l'occurrence est de m'excuser auprès de toi. Quand je regrette quelque chose, j'essaie généralement de me trouver une circonstance atténuante : j'étais peut-être fatigué ou contrarié, insouciant ou irréfléchi; j'aurais dû penser que tu avais eu une dure journée; j'aurais dû me rappeler que tu étais sensible sur ce point; je ne veux pas que tu attaches trop d'importance à ce que j'ai fait.

J'aurai sans doute honte et considérerai ce que j'ai fait comme indigne de moi et ne répondant pas à ce que tu es en droit d'attendre de moi.

Quand je dis « Je regrette », je veux que tu me dises que tout est rentré dans l'ordre entre nous. Je veux que tu me dises d'oublier tout cela, que c'est fini et arrangé: maintenant que j'ai reconnu que j'avais tort, c'est fini.

Le pardon est quelque chose de complètement différent. Quand je dis « je regrette », c'est *moi* qui suis concerné; mais quand je dis « pardonne-moi », je mets l'accent sur *toi*. En recherchant le pardon je pense surtout à notre relation et je vois qu'elle est atteinte à cause de moi. Ce que j'ai fait est la cause de notre situation présente. Notre relation est brisée par suite de mon insensibilité, de ma froideur envers toi. C'est surtout le fait de savoir où j'en suis avec toi qui me préoccupe, plutôt que ce que j'ai fait. Je demande pardon d'avoir endommagé notre relation plutôt que pour ce que j'ai fait, ou n'ai pas fait, pour ce que j'ai dit ou n'ai pas dit.

En demandant pardon je ne cherche pas à m'excuser. Je ne te demande pas de m'excuser parce que j'ai commis une faute. Je sais que j'ai tort, pas uniquement pour ce que j'ai fait, mais parce que j'ai fait passer mon bien-être, mes intérêts et toutes sortes de choses avant *nous* deux. Je sais que quelque chose entre nous doit être clarifié et, qui plus est, ce quelque chose c'est moi. Ce que j'ai fait n'est peut-être pas digne de moi, mais ce qui compte surtout c'est que je ne suis plus digne de *toi*. Je me mets donc entre tes mains, à ta merci. D'une certaine façon, je te demande à nouveau en mariage en te priant de m'accepter à nouveau comme ton mari ou ta femme.

Bien entendu, on ne demande pas pardon dans de petites situations futiles du genre de celle où l'on a oublié de prendre du lait ou de raccommoder les chaussettes. Le pardon n'est requis que lorsqu'il y a violation d'une relation. C'était le cas pour Victor qui se consacrait davantage à son travail qu'à sa femme Madeleine. C'était aussi le cas pour

Madeleine qui ne vivait que pour les enfants sans prendre le temps d'écouter Victor. C'était encore le cas pour Victor qui se renfermait sur lui-même sans donner à Madeleine la possibilité de connaître le fond de sa personnalité. Voilà de véritables violations d'une relation qui ont besoin d'être pardonnées et non pas simplement raccommodées. Victor se rend peut-être compte que la solitude que Madeleine ressent est due au peu de temps qu'il passe avec elle; et, de son côté, Madeleine comprend que son manque d'appréciation est à l'origine de la calme résignation avec laquelle Victor se jette à corps perdu dans un travail ennuyant et ingrat.

On ne peut répondre à ce genre de découverte et de révélation de soi par une simple résolution de s'améliorer : que Victor sera plus attentif à Madeleine, que celle-ci lui exprimera plus souvent sa reconnaissance, ou que Victor sera plus attentif aux messages de Madeleine et passera plus de temps avec elle. Ils doivent comprendre que leur comportement a provoqué une faille entre eux. Ils en sont arrivés à une séparation spirituelle, que celle-ci ait duré un jour, une semaine ou des années. À vrai dire, ce n'est pas leur auto-examen qui leur révèle cette situation, mais la conscience qu'ils prennent de leur bonté respective. Chacun réalise qu'il n'a pas su ajuster sa vie à celle de l'autre. Une excuse, parce qu'elle est centrée sur nous-mêmes, n'est pas susceptible de nous apporter grand-chose. Par contre le pardon, étant entièrement axé sur l'autre, peut nous rendre très perspicaces.

Le revirement du Fils prodigue n'eut pas lieu seulement après qu'il eut réfléchi sur son comportement. Il eut lieu par rapport à son père. Il comprit combien son père était merveilleux. Il ne retourna pas chez son père en disant : « La leçon m'a servi; je suis décidé à changer de conduite. » Au contraire, lorsqu'il retourna chez son père, il reconnut honnêtement et humblement qu'il s'était mal conduit en tant que fils, qu'il avait abandonné son père et trahi sa bonté. Voilà ce dont il s'accusa. Sa faute ne portait sur l'endroit où il était allé (mener une vie de débauche), mais sur le lieu d'où il était parti. Le pardon n'est pas tourné vers ma faute, mais vers ce que je n'ai pas été pour toi.

Il n'est pas dans notre nature de demander pardon, et

nous ne le faisons pas d'une manière fortuite ou aisée. J'ai besoin de ton aide; c'est un travail à faire en couple. Cela n'est pas un talent individuel ou un don que possède le mari ou la femme. C'est quelque chose que nous développons en nous. Maris et femmes devraient envisager ensemble la façon de faire naître le désir d'un pardon et la manière de le formuler. Il est difficile, en effet, même de désirer le pardon. Il m'est plus facile de dire « je regrette » ou bien : « d'accord, je me suis mal conduit ». Mais il faut une bonne dose de maturité et de grandeur d'âme pour ne considérer que toi et ta bonté. C'est pourquoi nous devons travailler ensemble à développer cette qualité dans notre relation.

Un soir, Louis lança à Andrée tout ce qu'il put pour la blesser. Elle resta abasourdie et angoissée. Le lendemain, Louis fut inquiet durant toute la journée. Que lui dirait Andrée à son retour? Et surtout, plus important encore, qu'est-ce qu'il lui dirait, lui? Il ne pourrait pas prétendre que rien ne s'était passé. Il savait qu'il ne pourrait pas entrer tout simplement et être particulièrement gentil. Il devra faire face à Andrée et à lui-même.

En entrant dans la maison, Louis vit que les yeux d'Andrée étaient rouges et gonflés. Lorsqu'il s'approcha d'elle, elle se raidit et se détourna. Il la retint et tourna doucement sa tête pour la regarder dans les yeux. « Chérie, j'ai été tout simplement odieux hier soir. Ce n'est pas assez de te dire que je suis désolé; je te prie de me pardonner. J'ai besoin de ton pardon pour me retrouver. »

Les yeux d'Andrée s'éclaircirent et ses muscles se détendirent alors qu'elle s'appuya contre lui et le serra contre elle. Ses yeux se remplirent de larmes de soulagement et quelques instants après elle murmura : « Je te pardonne. »

Plus tard, Andrée dit : « Merci d'avoir agi ainsi. Je m'attendais à une scène. J'étais décidée à te montrer combien tu avais été dur envers moi. Mais mon cœur s'est arrêté quand tu m'as demandé pardon. Du coup, j'ai cessé de penser à ta méchanceté et me suis rendu compte que je n'étais pas parfaite non plus. De quel droit puis-je accorder le pardon? Tu étais sincère et tu t'es mis entre mes mains. Je ne l'oublierai jamais. Je crois que le pardon est le plus grand moment de parfaite communion que deux êtres puissent jamais éprouver.»

Une difficulté possible, cependant, est que l'autre a été blessé; il sera donc porté à répliquer ou à faire attendre son pardon pour obtenir une sorte de promesse que cela ne se reproduira plus.

Il est également difficile pour l'autre de se laisser approcher et de recevoir cette demande de pardon. La majorité d'entre nous préféreraient qu'on leur présente des excuses avec lesquelles il est plus facile de jouer.

Il est difficile pour nous de formuler une demande de pardon. Nous devons préparer notre demande et la formuler avec sincérité et humilité.

Plus notre connaissance de l'esprit et du cœur de l'autre sera grande, plus grande sera notre capacité de demander et d'accorder le pardon.

**Quelle différence y a-t-il entre: «Je te pardonne» et «Ça va», «Oublie ça»?**

*Votre réponse:*

Lorsque tu me demandes pardon, je dois porter mon attention sur toi et sur nous. Quelle que soit l'intensité de la peine que tu m'as faite, je ne peux pas être seul en ligne de compte. Si je te réponds: «Oublie ça», je te demande de ne plus penser à ce que tu as fait; n'en parlons plus. Je l'ai oublié et nous pouvons recommencer comme si de rien n'était. Si je réponds: «Ça va», je veux dire que cela ne m'avait pas vraiment affecté, ou que j'ai réalisé que tu avais eu une dure journée; ou bien, cela m'a peut-être touché, mais je n'y pense plus maintenant; nous pouvons l'oublier.

En te répondant «Ça va» ou «Oublie ça», alors que tu me demandais sincèrement pardon, je n'ai pas répondu à ton appel. Je te refuse le droit d'être toi-même, et ton désir de voir notre relation pleinement rétablie. Je me concentre donc davantage sur la chose que sur toi. Je laisse entendre que je ne tiens pas à te voir tellement proche de moi, que le pardon est une chose trop intime, et j'interprète tes paroles comme une simple excuse.

Lorsque je te dis « Pardonne-moi », je ne pense pas, en premier lieu, à ce que j'ai fait; je dis que j'ai cessé de faire corps avec toi. J'étais sorti de ta, de notre sphère. Tu n'étais plus au cœur de ma pensée. Je n'ai pas vécu notre relation jusqu'au bout du possible et j'ai porté indûment le nom de mari ou de femme (car je ne peux pas l'être sans toi). Accepte-moi à nouveau à la maison, chez nous. Je te demande donc pardon, car j'ai cessé de t'appartenir pendant un certain temps.

Les termes de la réponse à cette requête doivent être de même nature. Tu m'assures de ton pardon, tu m'acceptes donc à nouveau pleinement près de toi; nous nous appartenons à nouveau l'un l'autre entièrement et irrévocablement. Voilà qui est bien plus profond qu'un « Ça va maintenant », qui nous fait reprendre là où nous en étions restés.

En demandant et en accordant le pardon, nous allons bien plus loin entre nous que le stade où nous en étions au moment de la rupture de notre relation. La recherche du pardon est un cadeau extraordinaire pour l'être aimé, et, d'autre part, l'action de pardonner est une bénédiction pour un époux ou une épouse: nous nous trouvons donc plus que jamais merveilleusement impliqués l'un à l'autre, en dépassant tout ce que nous avions connu jusque là.

Les mots « Je te pardonne » ont un sens absolu et ne peuvent être accompagnés de réserves ou de conditions. Ils signifient que nous sommes à nouveau réunis, chacun dans son entité. Tu es mon mari, ma femme, dans toute l'acception du terme, sans restriction aucune. Le père de l'Enfant prodique n'a pas pris en considération ce que son fils avait fait; il n'a pas non plus fait de comparaison avec son autre fils; il n'a vu que son enfant revenu. Celui qui pardonne ne doit voir que son conjoint. Pas question de pardonner l'action elle-même. Pas question non plus d'excuser ou d'exonérer le conjoint. Nous avons dépassé tout cela quand nous envisageons le pardon.

Rechercher et accorder le pardon sont des démarches humaines rédemptrices. Elles ont le pouvoir de triompher en nous de l'orgueil et de l'égoïsme. C'est en vivant ensemble, en nous parlant, en travaillant à développer en nous la capacité de demander et d'accorder le pardon, que nous parviendrons à de tels résultats. Nous ne nous rendons souvent même pas compte que nous en avons la possibilité. Nous devons tâtonner et chercher ce que nous pouvons faire pour formuler sincèrement notre demande de pardon et pour l'accorder tout aussi sincèrement. Comme il nous arrive souvent de ne pas savoir comment approcher l'autre, nous pourrions commencer par nous en parler dès à présent. Nous nous demanderons réciproquement ce que nous considérons comme important. Je veux que tu connaisses ma façon de te répondre. Je veux que tu découvres le pardon dans mon cœur.

*Un petit compliment, ce n'est pas assez !
Il est bon d'aller au fond de nos difficultés.*

## Pensez-vous à votre peine ou à la réconciliation, quand vous pardonnez?

*Votre réponse:*

Celui qui demande pardon reconnaît la blessure qu'il a infligée à l'autre. Il sait que cette blessure est la raison de sa demande de pardon. Il dit: «Je sais que tu es aux prises avec un grand sentiment de solitude (ou de colère, ou d'insécurité, ou de crainte) parce que je me suis éloigné de toi, je n'ai pas tenu assez compte de toi, je ne t'ai pas gardé au coeur de ma pensée.» Je te demande d'oublier ta peine, de considérer notre relation et de dire: «Nous sommes plus importants que tout le reste.»

Quand je demande pardon, je suis très conscient, non pas de ce que j'ai fait, mais de ce qui se passe en toi. Si je m'arrête à ce que j'ai subi, je l'estimerai en termes de bien et de mal, selon l'importance que je lui accorde. Inutile de penser à cela car, quand je dis «S'il te plaît, pardonne-moi», j'ai déjà pensé au mal impliqué dans mes actes. Je ne cherche nullement à me défendre, et bien que je ne veuille en aucune façon ignorer ce que j'ai fait, je me concentre sur quelque chose de bien plus important, à savoir ce qui se passe en toi, toi qui peux m'accorder le pardon.

Celui qui considère la blessure elle-même fait fausse route; cet aspect-là a été envisagé, traité et reconnu à sa juste valeur. L'offense a déjà dépassé ce stade. Il est sur le point de pardonner à l'autre d'avoir rompu leur relation. Il est préoccupé par le «nous» du mariage.

Il n'y a aucune raison pour que je n'éprouve pas le besoin d'un pardon, ou que ma réaction soit exagérée, irraisonnée ou trop émotive. Quand je cherche honnêtement et ouvertement à être pardonné, je me mets entre tes mains et demande: «Veux-tu m'accepter comme pécheur, ou bien vas-tu me repousser? Veux-tu accepter que je crois en ta bonté, ou veux-tu te cramponner à tes idées?»

Toi qui peux m'accorder le pardon, tu dois d'abord prendre une décision fondamentale: choisir entre ta peine et moi. Ou tu gardes ta peine ou tu me reprends; mais si tu décides de me reprendre, tu m'accepteras sans la peine qui se trouvera de ce fait éliminée. Par contre, si tu n'acceptes pas de te départir de ta peine, tu ne m'acceptes pas entièrement et nous ne sommes pas réconciliés.

Lorsque je dis simplement « Je regrette », tu te demandes si oui ou non je me rends compte de ce que je t'ai fait et de la peine que je t'ai causée. Mais quand je dis « Pardonne-moi », tu n'as pas à te poser ces questions, car ces mots te révèlent que je connais ta peine et c'est précisément pour cette raison que je te demande pardon.

Peut-être ne voulez-vous pas laisser tomber votre peine. La blessure causée par un sentiment d'abandon, de frustration ou de non-appréciation, est vive. La solitude que l'on éprouve lorsqu'on ne se sent pas écouté ou compris est réelle. Notre peine occupe une grande place en nous et elle peut nous absorber au point de nous faire oublier la personne de l'être cher. Nous entendrons peut-être sa demande de pardon, mais nous ne l'écouterons pas. Aussi longtemps que nous garderons notre peine en nous, nous nous trouverons unis à elle plutôt qu'à notre mari ou à notre femme. Lorsque tu me demandes pardon après m'avoir peiné, il ne s'agit pas de savoir si j'ai raison d'être peiné, ni s'il est compréhensible que je le sois. Des questions telles que: « Comment as-tu pu agir ainsi envers moi? » ou bien « Qu'est-ce qui t'a pris de me traiter ainsi? » n'ont rien à voir avec ce qui me préoccupe vraiment et ne sont pas importantes. La seule question à laquelle je dois répondre en ce moment est celle de savoir si je vais te pardonner ou non.

Il se peut que je sois si contrarié et si absorbé par ce que je ressens, que je ne puisse pas répondre à cette question maintenant. Une demande de pardon m'oblige, en effet, à renoncer à me préoccuper de moi-même et à me pencher sur toi, mon amour. Il m'arrive, parfois, de te dire que je vais essayer de te pardonner, ce qui revient à dire que je ne suis pas disposé à le faire de toutes mes forces. Je veux que ma peine disparaisse avant de penser à pardonner. Mais, une fois la peine partie, le pardon n'est plus nécessaire! Il faudra peut-être des excuses, mais pas un pardon.

Parfois, je pardonne avec réticence. Je te dis que tu es pardonné pour que tu te sentes mieux, car je t'aime et veux que les choses reviennent à la normale entre nous. Mais je ne veux pas non plus perdre de vue ma peine et ce qui m'est arrivé. Ce faisant, je ne te fais pas confiance. Je dis que je ne crois pas que tu tiennes tellement à obtenir mon pardon, ni que notre relation t'importe beaucoup. Je dis aussi que, même si nous rétablissons notre relation et que je me place entre tes mains, je n'aurai pas encore assez d'attention, ni de sensibilité, ni de compréhension.

À son retour, l'Enfant prodigue n'osa pas avancer sur le chemin de la confiance. Il ne demanda pas que sa place de fils lui soit restituée, mais simplement que son père l'accepte parmi ses serviteurs. Le père, cependant, insista pour que son fils reprenne sa place avec une confiance réciproque totale. Il ne voulait pas se contenter de combler les besoins de son fils et de s'assurer qu'il eût suffisamment de nourriture, des vêtements et un toit; il lui fallait une véritable relation. Il se plaçait entre les mains de son fils en s'exposant à une autre peine possible. Il restaurait leur relation. Et c'est ce que nous devons faire quand nous demandons pardon: affirmer nos rapports.

Quand tu me demandes de te pardonner, je ne dois pas te répondre simplement: « Ça va, je vais faire comme tu veux et ça va bien aller. » Nous devons nous assurer réciproquement que nous nous appartenons l'un l'autre, que tu as bien plus d'importance que la peine que je peux ressentir, qu'elle n'est rien comparée à toi.

Il nous arrive aussi de pardonner par faiblesse, mais nous restons circonspects et méfiants. Nous n'avons pas donné l'acceptation totale que le pardon exige. Notre conjoint doit nous aider, car celui-là même qui demande le pardon doit nous aider à le lui accorder. Tout comme il s'est remis entre nos mains, nous devons nous remettre entre les siennes pour qu'il puisse nous aider à lui accorder un pardon total.

## Pouvez-vous nommer quelques-uns des obstacles au pardon?

*Votre réponse:*

Il est difficile de demander ou d'accorder le pardon si l'on se met à compter le nombre de fois que cela nous est arrivé. Si nous avons en tête que notre relation doit être une association à parts égales dans laquelle nous ne pardonnerions qu'aussi souvent que l'on nous aura pardonné, nous avons une mauvaise notion de l'équité et du pardon.

Le moment du pardon a son essence et sa réalité propres. Il n'a rien à voir avec le passé, ni avec l'avenir, mais doit tenir compte seulement du présent. Je ne te demande pas de me pardonner cette fois-ci parce que je t'ai pardonné la dernière fois, mais parce que j'ai besoin de ton pardon en ce moment. Je te demande pardon parce que je t'ai fait mal et non pas pour égaliser notre score.

Si j'accepte de te pardonner, je dois le faire dans les mêmes termes. Je ne dois pas du tout tenir compte du passé, te pardonner parce que tu m'as pardonné la dernière fois ou que tu me l'as demandé souvent auparavant, mais considérer uniquement le moment présent. Je dois te pardonner maintenant. C'est un moment unique qui existe par lui-même. La cause de ma peine peut remonter à plusieurs heures, jours ou semaines, mais le pardon que tu me demandes maintenant est pour ce que je ressens en ce moment. Non pas pour ce qui a été fait, mais pour ce qui est. Non pas pour un événement passé, mais pour la peine qu'il a provoquée en moi.

En demandant pardon, je t'appelle à faire un acte de foi. Quand je dis: « S'il te plaît, pardonne-moi », je dis aussi: « Pardonne-moi car je sais ce que tu ressens. Crois que je tiens à toi et que je veux te guérir de cette peine. C'est elle qui me fait t'implorer et essayer de nous rapprocher l'un de l'autre. Crois que je suis conscient d'être responsable de ce qui nous arrive.» Ainsi, quand je demande: «Veux-tu me pardonner?» la meilleure réponse que tu puisses me faire est: «Amen, je crois en toi.»

Mais les apparences peuvent être trompeuses. La peine peut paraître plus véritable que la recherche du pardon. Et c'est pour cela qu'il nous arrive de ne pas pardonner. Nous nous disons en effet: «Combien de fois devrai-je encore te pardonner pour ça?» Lorsqu'on lui demanda combien de fois un homme devait pardonner, Jésus répondit: «Pas sept fois, mais soixante-dix fois sept fois.» C'est là la manière juive de dire «toujours». La seule question permise est donc: «Vais-je te pardonner cette fois-ci?» Les autres fois n'existent pas. Ce qui s'est fait dans le passé est classé. Quant à l'avenir, c'est un inconnu qui ne doit pas nous préoccuper. On ne nous demande pas de pardonner dans l'avenir, mais simplement cette fois-ci. Donc, à la question: «Combien de fois devrai-je te pardonner?» Il faut répondre: «Une fois, maintenant.»

**Demandez-vous à l'autre de changer avant de lui pardonner?**

*Votre réponse:*

Un des signes qu'on ne croit pas en l'autre et en sa demande de pardon, c'est de demander qu'il change son comportement avant de lui pardonner. À vrai dire, le simple fait de demander pardon manifeste déjà un changement, celui de son cœur. Mais nous ne faisons pas toujours confiance à ce changement. Il nous arrive de faire dépendre notre pardon d'une garantie que ce qui a causé notre peine ne se reproduira plus. À la demande qui nous est faite nous répondons alors: «On verra» ou bien «Laisse-moi un peu de temps», ou encore «Comment puis-je être certain que cela ne se répétera pas? » Il est impossible à l'autre de nous donner une garantie de son infaillibilité, c'est-à-dire qu'il ne manquera pas à sa parole mardi prochain ou en l'an 2000! La seule chose qui doit nous préoccuper en ce moment et à laquelle nous devons répondre, est de savoir où nous en sommes tous les deux dans notre relation.

Mais nos peines nous rendent si méfiants, si prudents, si craintifs et si centrés sur notre mal, que nous ne voulons pas prendre le risque d'être blessés à nouveau. Cela est compréhensible, mais nous devons décider si nous voulons vivre à l'abri et en sécurité, en vase clos, ou nous ouvrir à l'extérieur avec la possibilité d'une relation riche et profonde.

La demande que je te fais de changer de conduite, pour me prouver ta sincérité, ne se justifie nullement. Au lieu de dire: « J'ai confiance en toi, je crois en toi et j'ai foi en toi », nous disons: « Je rentrerai mes griffes quand tu auras fait preuve de bonne volonté. » C'est comme dire à quelqu'un qu'on lui fait confiance et, en même temps, exiger de lui un écrit.

Il va sans dire qu'en demandant pardon tu dois être absolument honnête, sincère et fermement décidé à éviter à l'avenir tout ce qui pourrait me peiner. Je ne dois pas me préoccuper de savoir si tu as déjà formulé cette promesse dans le passé et si tu l'as remplie. La question que je me pose en ce moment est de savoir si je te crois. À cause de ce que j'ai vécu en des circonstances analogues, j'aurai peut-être du mal à dire « Amen ». C'est peut-être difficile, mais c'est tout de même simple. C'est oui ou non, pas peut-être ni « Laisse-moi y penser » ou bien « Attends que ça se passe un peu ».

En outre, quand je te demande de changer, je me mets dans la peau d'un juge. Je te domine et légifère pour savoir si oui ou non tu mérites mon pardon. Je n'ai pas le droit d'agir ainsi; c'est de l'arrogance de la pire espèce. Moi aussi je suis un pécheur à qui l'on a déjà beaucoup pardonné. C'est comme cette histoire de l'Évangile dans laquelle un roi avait remis à un homme le montant énorme de ses dettes. Cet homme sortit alors et fit mettre en prison un pauvre qui lui devait simplement quelques sous. Je ne peux pas me permettre de te juger, et, si je le fais, c'est à moi de te demander pardon.

En jouant le rôle d'un juge, je te mets dans une situation sans issue. Comment peux-tu me répondre? Peu importe la profondeur de ta bonne volonté et de ta sincérité, tu sais déjà que je n'ai plus confiance en toi.

Nous aurons, en outre, tendance à reprendre la règle du 50-50, celle de l'égalité. Nous essayons de trouver, en dehors de nous, une norme objective. Si j'en établis une, tu trouveras peut-être même justifiée ma demande d'une certaine garantie de ta part car, trop souvent dans le passé, tu n'as pas tenu parole. Mais alors nous nous perdons de vue, et nous sommes à nouveau en compétition. Telle n'est certainement pas la visée du mariage.

L'objet du pardon n'est pas ce qui a été fait, mais comment nous pouvons nous atteindre l'un l'autre. Il doit remettre d'aplomb les *êtres* et non les *choses*.

Je pourrais penser que la pire chose qui puisse arriver est que tu faillisses une nouvelle fois et provoques d'autres peines en moi. Erreur. La pire chose qui puisse se produire serait que je me complaise dans ma présente peine et que je te refuse le pardon. La peine qui pourrait naître n'est qu'une possibilité, alors que celle que je ressens en ce moment est une réalité. En me demandant pardon, tu me demandes de vivre avec toi et non avec ma peine. Celle-ci n'a rien d'un compagnon, toi oui; je ne peux donc pas me permettre de refuser l'offre que tu me fais.


**Êtes-vous prêts
à vous pardonner
à vous-mêmes?**

*Votre réponse:*

Accepter d'être pardonné, et surtout de se pardonner à soi-même, sont les plus gros obstacles dans toute relation, et surtout dans une relation conjugale. Il m'est parfois plus difficile de te comprendre et de te pardonner, en répondant à ton besoin quand tu m'as peiné, que de me comprendre et de me pardonner à moi-même. Souvent je ne cesse de m'en vouloir. Je me répète combien j'ai été mauvais, quelle faute j'ai commise ou quelle peine je t'ai infligée. Je perds de vue ma bonté réelle.

Aussi longtemps que je ne me pardonnerai pas, je ne pourrai pas accepter ton pardon. Je ne me vois pas comme digne de pardon. Tout comme lorsqu'il s'agit de pardonner à autrui, me pardonner à moi-même exige une décision de ma part. Je dois décider de me l'accorder.

**Pourquoi est-il si difficile de demander ou d'accorder le pardon?**

*Votre réponse:*

Nous avons beaucoup de mal à oublier le « qui a raison, qui a tort » et cette attitude est le plus sérieux obstacle à surmonter pour demander ou accorder le pardon. Si c'est à moi de pardonner, il m'est difficile de renoncer à ma conviction que tu as tort. Cela m'est difficile car, en te pardonnant, c'est ton for intérieur que je dois regarder (il me serait plus facile d'envisager le fait). Le pardon ne se préoccupe pas de savoir qui a tort et qui a raison. Seule compte la réponse que je te fais: « Je te pardonne; nous nous retrouvons à nouveau et sommes de nouveau ensemble. » Mais, souvent, je préfère m'en tenir à ma position et penser que j'ai raison, plutôt que de renouer avec toi.

Il m'est encore plus difficile de renoncer à ma conviction d'avoir raison quand c'est moi qui demande pardon. Cela peut m'apparaître comme une reconnaissance de mon tort, et je m'y refuse, même si je l'admets dans mon for intérieur. Je préfère de beaucoup oublier toute l'affaire ou la cacher sous le tapis.

N'est-il pas pénible de constater comment les mots restent pris dans ma gorge quand je dois te dire que j'ai commis une faute, quand j'ai dit quelque chose de méprisable et d'impensable, ou que je n'ai pas su rester celui (celle) que je t'avais promis d'être lors de notre mariage? Personne n'a envie de faire un tel aveu. Je cherche une excuse, quelque chose qui puisse expliquer mon attitude. Je veux bien te dire que je suis désolé de te voir souffrir, mais non pas que je suis désolé parce que j'ai tort.

Léonie mettait toute sa fierté à être une bonne épouse. Elle faisait son possible pour être compatissante, compréhensive et attentive envers Paul, son mari. Les repas avaient toujours quelque chose de spécial, la maison était accueillante et les enfants bien soignés. Elle faisait sienne la pensée exprimée dans *Love Story* selon laquelle « s'aimer, c'est n'avoir jamais à exprimer de regrets ». Il lui arrivait bien de faire de petites entorses, mais, dans l'ensemble, Paul n'avait pas à se plaindre. Il se rendait compte qu'elle l'aimait de tout cœur.

Demander le pardon et l'accorder ce n'est pas toujours facile.

C'est pourquoi elle ne comprit pas ce qui arriva un soir. Sans être en colère, et sans chercher à la peiner, il lui dit : « Tu sais, Léonie, tu fais partie de ce groupe de femmes « 90%-10% » : tu entends contribuer pour 90 pour cent dans notre ménage en me laissant les 10 autres pour cent. Tu es formidable, mais c'est toi qui as décidé ce que devait être une bonne épouse et quelle femme je devais avoir. Il me semble que c'est à l'homme de décider quel genre de femme lui convient le mieux. Tu es si préoccupée d'atteindre le modèle que tu t'es fixé, que tu n'as pas le temps d'apprendre à me connaître. Le seul privilège que tu m'autorises à avoir est celui d'être la personne pour qui tu peux faire des choses. Je n'ai rien à dire dans ce que tu es pour moi. »

Léonie était dans la confusion, à son grand déplaisir. Qu'attendait-elle ? Soudain, elle comprit. Paul lui demandait d'arrêter de se satisfaire et de considérer son optique à lui. Tout ce qu'elle avait accompli, soi-disant pour lui, était pour répondre à son propre besoin, à elle. Elle n'avait pas l'habitude d'être dans l'erreur et se trouvait au supplice. Elle ne pouvait ignorer les paroles de Paul, mais la simple pensée de lui demander pardon la rendait malade.

Elle se rendit compte que, là encore, elle pensait à elle et à ce dont elle aurait l'air, au lieu d'envisager ce que cela signifierait pour Paul. Elle décida que, si quelque chose devait se passer, c'était maintenant ou jamais. Plus elle y pensait et plus elle se trouvait d'excuses.

Ce soir-là, Léonie dit : « Écoute, Paul, je ne sais trop comment m'y prendre dans ce cas-là, car je me suis tellement appliquée à ne pas commettre d'erreur. Mais je me rends compte maintenant que je me suis forgé mon propre univers dans lequel je t'ai encadré. Je te demande vraiment pardon. Reprenons. Je veux être *ta* femme et non l'image que je me suis fait d'elle. » En la prenant dans ses bras, Paul lui répondit : « Nous avons tout un monde nouveau devant nous et cette fois-ci ce sera *notre* monde. Je t'aime. »

Si nous cessons de plaider avec obstination notre cause, de défendre la justesse de notre jugement et l'opportunité de ce que nous avons dit ou fait, nous pouvons éviter de la peine à l'autre et à nous-mêmes. En laissant tomber notre autodéfense, nous découvrons ce qui est important dans la vie d'un couple: nous aimer et avoir des rapports profonds et sincères entre nous. Le seul moyen dont nous disposons pour y arriver, c'est de nous demander et de nous accorder réciproquement le pardon.

Il est curieux de constater qu'en lisant de telles affirmations dans un livre, nous reconnaissons qu'il est idiot de laisser notre fierté et nos attitudes bornées nous empêcher de développer notre relation. Et cependant nous voulons toujours avoir raison, même si cela n'a aucun sens.

En d'autres occasions, quand je recherche le pardon, je veux que nous nous rencontrions en terrain neutre et que chacun de nous avoue ses torts. Il s'agit alors d'un match à armes égales. Mais alors, ce n'est pas le pardon que je recherche: je veux que toi aussi tu reconnaisses que tu as eu tort et que nous avons tous deux commis des fautes.

Autre chose importante, quand tu me demandes pardon, je ne devrais pas minimiser ton geste et chercher des excuses. Il ne faut pas que je dise: « Je suis aussi coupable que toi. » C'est peut-être vrai et je peux le reconnaître; au fond de moi j'éprouve peut-être aussi le besoin d'être pardonné, mais, en ce moment, c'est toi qui implores mon pardon. Je dois continuer à laisser mon attention centrée sur toi et ne pas la porter sur moi. Je dois te répondre dans des termes identiques aux tiens. Tu recherches mon pardon, je dois donc m'ouvrir à toi et te guérir.

Pardonner pour vrai, c'est recréer notre amour.

## L'un de vous est-il toujours le guérisseur?

*Votre réponse:*

Jean ne se souvenait pas d'avoir jamais dit à Marlène qu'il était désolé. Il l'avait pourtant été à maintes reprises et l'avait exprimé avec des fleurs, par une sortie, et en exécutant dans la maison des travaux qu'il avait promis de faire sans jamais s'y mettre. Mais il ne s'était jamais servi de mots car ceux-ci restaient pris dans sa gorge. Il lui semblait pourtant qu'elle comprenait.

Après chacune de leurs disputes, c'est Marlène qui cédait. Ayant toujours vu sa mère agir ainsi, elle pensait que c'était là le rôle de la femme. En outre, elle ne supportait pas le silence. Quand elle proposait à Jean de faire la paix, celui-ci la comblait d'attentions et de petites gâteries.

Un jour, elle lut un article disant que ce genre de comportement était mauvais pour les deux partenaires. Le soir même elle en parla à Jean: « Un article dit que celui qui dit toujours « Je regrette » ne le pense pas toujours et garde en lui une rancune. C'est exactement ce que je ressens, et je m'arrange pour que tu fasses des tas de choses pour moi avant de me rendre. Plus je suis convaincue d'avoir raison, plus j'exige de toi.

« L'article continue en disant que celui qui ne dit jamais qu'il regrette ne change pas vraiment. Il pense avoir raison puisque l'autre a cédé, ou qu'il n'y a pas de mal à agir comme il le fait puisqu'il accomplit toutes sortes de belles choses par la suite. Tu ne trouves pas que cela te ressemble, Jean? Pourquoi ne dis-tu jamais que tu regrettes? Tu affirmes ne pas le pouvoir, mais ce n'est pas vrai. Cela blesse peut-être ton amour-propre, mais tu peux dire ces mots; seulement, tu ne le veux pas. »

Cette conversation mettait Jean mal à l'aise, mais il était obligé de reconnaître que Marlène avait raison: « Oui, si au plus profond de moi je pense avoir tort, j'essaie de te le faire comprendre et tu sais quoi exiger de moi. Alors, pourquoi veux-tu que je me serve aussi de mots? Tu sais très bien quand je me sens coupable.»

« C'est justement parce que tu ne veux pas les dire que tu devrais le faire. Pourquoi toujours nous faire des cachoteries? C'est toujours moi qui dis « Je regrette », mais nous savons très bien tous les deux que je ne suis pas toujours la fautive. Parfois, je ne suis pas désolée du tout. Je te fais seulement signe d'amorcer les préparatifs de paix. N'est-ce pas idiot?»

Il arrive dans une relation conjugale que le soin de remettre les choses en bon état incombe toujours à la même personne. L'autre s'y habitue et n'a, de ce fait, jamais besoin de s'examiner et d'admettre devant l'autre qu'il a eu tort. Voilà qui est mauvais. On peut, bien sûr, invoquer l'excuse voulant que « cela vaut mieux que de rester à couteaux tirés »; ou bien : « il n'est peut-être pas juste que ce soit toujours moi qui cède, mais au moins nous avons la paix ». C'est exact, mais il reste un autre moyen. Un couple peut envisager franchement ce problème de comportement unilatéral et voir en quoi cette situation est mauvaise.

Si je m'évertue à remettre constamment les choses en état, alors notre relation en sera une de « raccommodage ». Du fait que je n'ai pas recherché le pardon, notre relation ne s'est pas approfondie. J'ai répondu à ton refus de céder. Je ferais sans doute aussi bien de céder et de te dorloter jusqu'à ce que ta bonne humeur revienne. Nous nous en sortirions et repartirions du bon pied. Une telle attitude ne fait que camoufler le problème et ne nous apporte pas grand-chose.

Si l'un de nous est toujours le pécheur et l'autre, le saint, cela ne peut pas marcher. Nous sommes tous deux des pécheurs: nous avons donc tous deux l'occasion de demander pardon.

**Quelle influence le fait
de vous pardonner
l'un à l'autre a-t-il sur
votre couple?**

*Votre réponse:*

Myriam était furieuse contre Charles d'avoir permis à leur fils de prendre la voiture alors qu'elle la lui avait refusée. Elle savait que Charles voudrait lui parler dans quelques minutes, mais elle n'était pas disposée à l'écouter. Elle se sentait bien dans sa colère qui s'attisait au fur et à mesure qu'elle ruminait ce que son mari avait fait. Elle savait, cependant, qu'elle se calmerait dès qu'elle penserait à lui en tant que personne. C'était ça, le pire. Pourquoi? Bouillir de colère n'est pourtant pas une situation tellement enviable!

Même si elle se sentait bien dans cette situation belliqueuse, elle réalisa qu'elle ne lui était guère profitable. Elle pensa donc à Charles, si généreux et bon qu'il vous donnerait sa chemise. Cela expliquait tout à fait pourquoi il avait prêté la voiture à leur fils. Charles comprenait très bien son fils et sa femme. Jamais il ne lui faisait de remarques sur ses caprices et son humeur changeante. Elle lui avait parlé si violemment, qu'il en était resté tout peiné. Elle le regarda et ne put résister au besoin d'aller s'asseoir à côté de lui et de lui dire: « Reviens, tu n'es plus traqué; comme je t'aime!»

Le pardon nous rapproche et cimente notre relation. Il nous rend également conscient de la bonté de l'autre. Celui qui a été pardonné est subjugué et impressioné par la miséricorde et la générosité de l'être cher. De son côté, celui qui pardonne est frappé par l'humilité et l'amour de son conjoint. Une fois que nous nous sommes pardonné l'un à l'autre, la vie n'est plus la même entre nous.

Un moment de pardon en est également un de mûrissement dans un mariage. C'est un pas de plus vers la maturité totale et qui nous aide à découvrir nos qualités.

Le pardon est aussi un apport dans notre recherche d'unité. Plutôt que de nous contenter d'éviter les accrocs dans nos rapports, en effet, ou de ne faire que les choses qui conviennent, ou de prendre nos responsabilités, nous essayons d'atteindre à une intégration de nos deux « moi ». Nous entremêlons nos deux âmes. Il apparaît donc clairement que rien n'est plus significatif dans une relation conjugale que notre expérience du don et de l'obtention du pardon.

**Quel est le rôle du contact physique dans un pardon?**

*Votre réponse:*

On peut difficilement pardonner sans se toucher. Si nous essayons d'imaginer la scène du retour de l'Enfant prodigue, nous ne verrons certainement pas le moment de la réconciliation sans que le père prenne son fils dans ses bras.

Je te pardonne avec tout mon être, et quand je recherche le pardon, ton bras autour de moi me donne la protection et la force dont j'ai besoin.

Un pardon — que ce soit celui que l'on demande ou celui que l'on donne — ne se contente pas de paroles; il demande une façon particulière de s'exprimer incluant tout notre être. Les mots que l'on emploie alors sont si magnifiques et si puissants, qu'ils ont besoin de la réalité concrète d'un attouchement pour être crus. Quand tu me demandes pardon, une pression de ta main me dit que tu y tiens. Lorsque je sens ta main sur mon épaule et ton visage contre le mien, je crois vraiment à la réalité du pardon que tu viens de m'accorder. Le toucher apparaît donc comme l'aspect concret du pardon.

## Parlez-vous de ce que le pardon vous a apporté?

*Votre réponse :*

Le pardon est une expérience magnifique que nous apprécions, mais nous ne profitons pas vraiment des grands moments qu'il nous procure. Nous pouvons revivre ces expériences et en retirer toujours davantage. Pourquoi s'estomperaient-ils dans notre mémoire? Nous pouvons fort bien les y entretenir, les revivre dans notre cœur et en parler ensemble. En effet, si nous ne partageons pas nos impressions sur ces moments, nous ne saurons jamais ce qu'ils ont vraiment signifié pour nous.

Un dimanche matin, Joël et Judith prenaient leur café et bavardaient de choses et d'autres. Puis Joël demanda à sa femme ce qui l'avait le plus marquée dans leur vie de couple. « Il m'est difficile de te répondre de but en blanc, dit-elle, laisse-moi réfléchir et prendre quelques notes. » Un peu plus tard, elle revint et tendit quelques feuilles à Joël : « Je pourrais écrire un livre sur notre amour, mais ce dont je me souviens le plus c'est ta délicatesse et ta gentillesse envers moi dans nos rapports sexuels. Te souviens-tu combien j'étais odieuse? Je ne pensais qu'à mon plaisir et te faisais sentir coupable lorsque tu m'avais déçue. Je m'emportais contre la « masculinité » des rapports sexuels. La vie devait te paraître un enfer alors.

«Mais tu m'as endurée, même si j'étais impossible. Selon mon humeur, je pouvais être la féminité à son extrême ou, au contraire, une « dure à cuire » peu commune. Mon égoïsme m'empêchait de ne jamais t'accorder la moindre attention. Je finis, cependant, par me rendre compte de mon attitude et eus assez de courage pour te demander pardon. Je n'oublierai jamais la tendresse de ton regard, ni la douceur de ton baiser, ni tes paroles : « Ne t'en fais pas, oublions tout ça. Pense seulement combien je t'aime. »

« Je pense si souvent à cet instant, Joël. Il me donne entière confiance en ton amour et me rassure lorsque je manque à mes engagements envers toi, car je sais que tu ne m'en tiendras pas rigueur. Ta seule préoccupation était de savoir ce que je ressentais; tu ne pensais qu'à moi, jamais à toi. Je ne pourrai jamais oublier tout le bien que tu m'as fait. Sans l'intensité de ton amour, je n'aurais jamais pu me pardonner. »

L'émotion de Joël était telle qu'il saisit la main de Judith et la pressa contre sa joue. « Je ne savais pas que tu te souvenais encore de ce moment, ni tout ce qu'il représente pour toi. Merci de me l'avoir dit. »

Un des plus beaux cadeaux que nous puissions faire à notre conjoint est de lui faire comprendre clairement toute l'importance qu'il a pour nous, tout ce qu'il a apporté dans notre vie et combien celle-ci est différente grâce à lui. Une des meilleures façons de le faire est d'évoquer ensemble nos moments de pardon et de réconciliation.

Trop souvent, en effet, nous parlons de choses et d'autres et ne savons pas saisir les sujets qui pourraient grandement enrichir notre relation et dont l'expression se trouve pourtant sur le bout de notre langue. Oui, lorsqu'un couple évoque ensemble ses plus belles expériences de réconciliation, il peut donner une dimension extraordinaire à sa relation.

**Qu'y a-t-il de plus difficile**     *Votre réponse:*
**après avoir pardonné**
**à l'être cher?**

Un des aspects les plus difficiles du pardon est sans doute de pouvoir oublier. En t'accordant un pardon total, je te dis : « À partir de maintenant, je ne me souviendrai plus

que de ta bonté dans ta requête et j'oublie ma peine. »
Lorsque nous nous faisons simplement des excuses, nous
nous réservons le droit de nous rappeler ce qu'on nous a
fait et l'effet que cela nous a produit. En pardonnant, nous
renonçons à ce droit. Voilà le plus bel aspect du pardon.

Il est naturel que nous soyons tentés de dire : « Je ne peux
pas contrôler ma mémoire. Si ce que tu m'as fait et la peine
que j'en ai éprouvé me reviennent, je n'y peux rien. » Il est
cependant exact que nous pouvons contrôler notre
mémoire et nous entraîner à nous souvenir de certaines
choses, car notre mémoire est sélective et nous ne pouvons
nous souvenir de tout. Nous ne nous souvenons seulement
de ce qui nous intéresse et nous affecte le plus. Ainsi, si
nous nous souvenons de la peine, nous voulons dire qu'elle
nous a affecté davantage que l'humilité et la beauté de celui
qui nous a demandé pardon.

Nous pouvons entraîner notre mémoire de telle sorte
que, lorsqu'il nous arrive de penser à un événement
pénible, nous revoyions surtout, lors du pardon, le
chaleureux rapprochement de l'autre et sa beauté. Si nous
revoyons davantage la peine, c'est à nous de demander pardon de n'avoir pas vraiment pardonné la première fois.
Nous devons entraîner notre mémoire à cette sélection.

Je peux toujours me dire que ma peine était si vive,
quand tu m'as dit telle chose ou ignoré pendant si
longtemps, que je ne peux pas l'oublier. Dans ce cas,
j'aurai décidé de la laisser vivre dans mon esprit. Si vraiment je me souviens davantage de ma peine que de ton
geste d'humilité, c'est que quelque chose ne va pas en moi.
Le seul moyen dont je dispose pour m'en guérir est de te
demander pardon d'avoir attaché plus d'importance à un
événement ou à une situation qu'à toi. Je peux pour cela
me souvenir de ton extraordinaire présence lorsque tu m'as
dit : « J'ai vraiment besoin de toi, pas seulement pour
m'excuser, ni remettre les choses d'aplomb entre nous,
mais pour me pardonner. »

Le pardon allège les cœurs et les guérit. Comme la vie est
alors riche et belle !